Y0-BPX-489

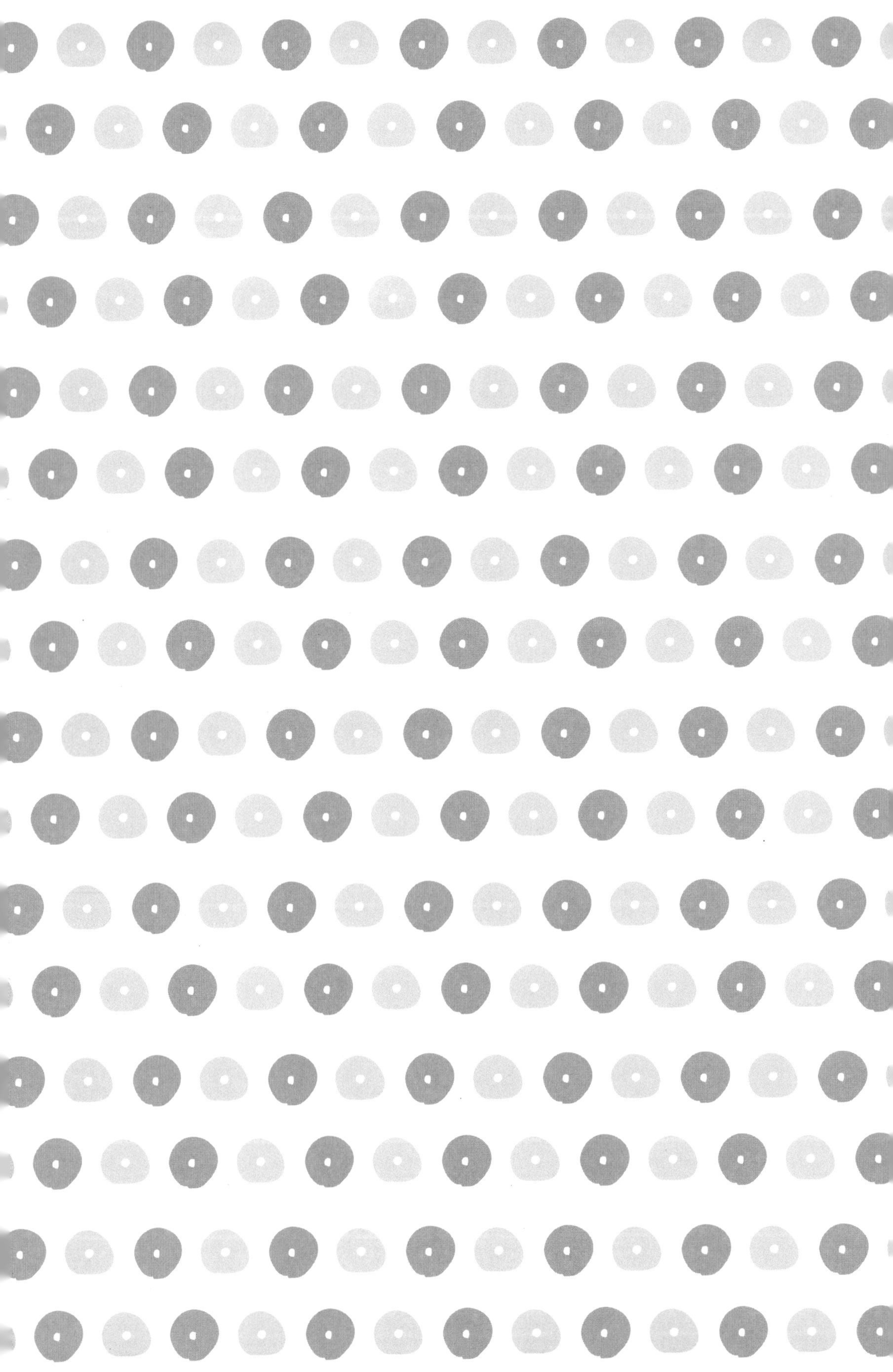

非非妈妈◎著

可以很简单

非非妈妈轻松助孕法

人民邮电出版社

北京

图书在版编目（CIP）数据

怀孕可以很简单 ：非非妈妈轻松助孕8法 / 非非妈妈著. -- 北京 ：人民邮电出版社，2012.5
ISBN 978-7-115-25829-8

Ⅰ. ①怀… Ⅱ. ①非… Ⅲ. ①妊娠—基本知识 Ⅳ. ①R714.1

中国版本图书馆CIP数据核字(2011)第153420号

内 容 提 要

本书是一本普及备孕知识的工具书，也是一本心理励志的“好孕书”。在书中，“播种网”的创始人——非非妈妈，详细地介绍了帮助万千女性实现了做妈妈梦想的“轻松助孕8法”。另外，书中还收录了十几位姐妹成功受孕的案例，希望未孕女性在分享她们成功受孕经验的同时，看到希望，找到自信。

怀孕可以很简单——非非妈妈轻松助孕 8 法

◆ 著　　　　非非妈妈
　责任编辑　申　苹
◆ 人民邮电出版社出版发行　　北京市崇文区夕照寺街 14 号
　邮编　100061　　电子邮件　315@ptpress.com.cn
　网址　http://www.ptpress.com.cn
　大厂聚鑫印刷有限责任公司印刷
◆ 开本：700×1000　1/16　　彩插：8
　印张：14.5　　2012 年 5 月第 1 版
　字数：227 千字　　2012 年 5 月河北第 1 次印刷

ISBN 978-7-115-25829-8

定价：35.00 元

读者服务热线：(010)67172489　印装质量热线：(010)67129223
反盗版热线：(010)67171154
广告经营许可证：京崇工商广字第 0021 号

策划人手记

“非非妈妈”是大名鼎鼎的播种网的主人。她的本名叫潘青平，是一位有着多年从医经验的退休医生。而播种网（http：//www.seedit.com/）则是这位母亲为天下所有母亲创建的网上家园。

2003年，潘青平退休后，她想做的头一件事，就是完成自己当年的夙愿，为更多的女性朋友做一些关爱自身的事情。儿子非非对妈妈的想法全力支持。经过一段时间筹备，以“播下美好的种子”为主旨的播种网成立了。从那时开始，潘妈妈就在网上拥有了这个被大家口口相传的名字“非非妈妈”。

打开播种网的首页，在淡粉色的背景下一幅温馨的画面悠然展现：阳光、山峦、小树、野花，宛如走进童话世界，让人不禁涌起一种对生命本身的热爱与敬仰。播种网的内容非常丰富，从想要宝宝到怀上宝宝，从产后保养到宝宝成长，从望夫成龙到闺房物语，还有营养食谱……你想要的都可以在这里找到。在网站的“孕育日记”栏目里，准妈妈们还可以记录下自己怀孕期间的点点滴滴。播种网提供的知识也相当周全，就拿“想要宝宝”这个栏目来说，从怀孕前的准备到优生优育的注意事项，从排卵期的科学预测到孕前需要调整的各种生理、心理问题，网站都一一想到。这些相关的科普知识介绍，可以让人以更科学的态度来对待生育过程。播种网还有一个很特别的栏目：“孕育百科”。实际上这是一个全能的搜索引擎，只要你输入关心的词条，就可以查找相关内容。非非妈妈把这里称为“十万个为什么”，她希望和大家一起建立属于播种网的孕育百科全书。

网站从建成到现在，已吸引成千上万的网友经常驻足。非非妈妈发现，即使在如今这样开放的年代里，仍有许多人对生理知识和性知识一知半解。网站上总有一些网友提出“我难道不是天天在排卵吗？”之类令人哭笑不得的问题。面对这些心情迫切的网友，非非妈妈总是耐心解释。有许多网友对医学的专业术语不甚了解，非非妈妈便结合自己多年的实践经验独创了一些播种网里适用的术语。后来，在播种网上大家都领会了这种特殊的用语，特别是在私密版块中，很多敏感的词语都用英文代替，例如“怀孕”大家就称“HY”，“排卵”称“PL”等。这些简单的拼音缩写，让播种网呈现出一份暖融融的关爱。

随着网站人气的不断飙升，非非妈妈的电话也成了热线，甚至还有海外华人打来国际长途向她请教。面对这些渴求帮助的网友，非非妈妈总是竭尽所能。年过半百的她，每天临睡前都要上播种网回复网友的留言。渐渐地，非非妈妈的执著和热情也感染了其他一些医护人员，大家纷纷加入到播种网里，贡献出自己的一份力量，特别是一位网名叫ICSI的试管婴儿医生，一直作为志愿者匿名在网络上为大家答疑解惑。

如果你想升级为母亲，或者即将升级为母亲，又或者已经拥有了自己的小孩，要是对孕育生活有什么疑问的话，不妨到播种网来逛逛，非非妈妈是不会让你失望而归的。

自序

十年前，我从工作岗位上退了下来，生活似乎一下子失去了重心。

为了填充突然多出来的时间，安抚空落落的心，我利用家中一台286电脑，通过电话拨号上网，进入了互联网的世界。

开始，我只是漫无目的地浏览，直到有一天，偶然进入一个孕育网站，发现了一群相互诉说着烦恼和苦闷、强烈渴望怀上孩子的不孕姐妹。她们曲折的经历和不懈的努力触动了我最软弱的神经，于是浏览这个孕育网站便成了我日常固定的活动。

作为一个母亲，我深深地知道孩子对于一个渴望当妈妈的女性的重要意义。家庭要有了孩子才完美，如果没有孩子去充实一个家庭，夫妇之间就有可能出现裂痕，来自双方父母的目光也会显得冷峻与无奈，难以建立一个和谐的家庭。

作为一个医生，我知道在育龄女性中，存在受孕困难的比例约为10%，即每10个适龄女性中就有1个，孕育网站把这些受孕困难的女性集中到一起，变成了一个庞大的群体。

这个群体需要帮助!

我知道，造成夫妇双方长期不孕，有时候并不是因为存在什么大的问题，只是缺乏普通的生理常识，或者只是情绪太过紧张。只要给予适当的疏导，问题就会迎刃而解。

我感觉我有责任去帮助她们！于是一面看姐妹们的帖子，一面跟帖，提出一些我认为正确的解决方法。

跟帖很不起眼，然而时间一长还是引起了大家的注意。

“非非妈妈”的名声逐渐地响了起来，大家对我信任有加，有些姐妹成了我的“粉丝”，指名询问的帖子也开始出现，有人甚至认为医院医生的说法都不可全信，要“非非妈妈”说了才能相信。

一下子，我感到肩上的责任重了许多，也领悟到了互联网的巨大力量。不少姐妹建议我开办自己的网站，方便大家咨询，以便发挥更大的作用。我深有同感。于是在儿子的帮助下，我创建了“播种网”——一个未准妈妈们交流的网络平台。

“播种网”开办后，咨询的人一天天地增多，每天除了要在网站回答网友们的提问，还要在QQ上一对一地与大家互动，整天手忙脚乱，应接不暇。不久，我感到一对一地回答问题，不是我能办到的事情！为了更好地帮助更多的女性朋友，只有一个办法，那就是对于大家共同的问题，写成专门的帖子。这样既回答了大家的提问，又留存在那里，方便随时查阅。

这些帖子有个专门的名字，叫“非非妈妈好帖”。日积月累，几年下来，居然积累起不小的数量，现在把它们集结到一起，出版成书。

希望对大家有帮助！

Contents 目录

CHAPTER 第1章

怀孕原来是这么一回事 p.1

聪明与健康，男孩与女孩是否都由上天决定 p.15

非妈助孕法 *1* p.25

放松心情最重要

姐妹经验

非妈助孕法 2 p.48

老公必读之改善精子的质量和数量

CHAPTER 第4章

姐妹经验

Contents

非妈助孕法 3 p.69

促使卵泡产生、卵子排出

姐妹经验

Contents

非妈助孕法 4 p.88

CHAPTER 第 6 章

保持最佳生理状态——激素的秘密

姐妹经验

非妈助孕法 5 p.109

CHAPTER 第 7 章

吃些助孕的普通食物和保健品

姐妹经验

非妈助孕法 *6* *p.124*

找准受孕时机，选择合适的同房方式

姐妹经验

非妈助孕法 7 p.143

不孕不可怕，排除问题后就能怀孕

姐妹经验

非妈助孕法 8　　p.175

“好孕”来啦！不可大意

姐妹经验

CHAPTER

第1章 怀孕原来是这么一回事

怀孕是一曲关于新生命的交响乐。未准妈妈们百方求助，焦急等待；准妈妈们虽因孕育宝宝而备感幸福甜蜜，却也会因身体的一点不舒服而提心吊胆。这样看来，只有对怀孕过程有一个清晰、科学的了解，再加上夫妻双方密切的配合，才能孕育出一个优质、健康的宝宝。

然而，在如今这个信息发达的年代，许多姐妹缺乏对孕产相关知识的了解和掌握，专业书籍晦涩难懂，求诸网络又很难获得系统而全面的讲解。本书第一章将通过通俗易懂的语言、生动有趣的例子，从总体上介绍一些关于怀孕过程的知识，希望这些内容能够帮姐妹们认清，怀孕究竟是怎么一回事。

CHAPTER 1 怀孕原来是这么一回事

1 怀孕是生命的交响乐

在我看来，怀孕过程就像一首交响乐，由3个不同旋律的乐章组成。

第一乐章：大批精子穿过子宫颈，越过子宫，向输卵管进军，千军万马，浩浩荡荡，是豪壮的进行曲；

第二乐章：卵子和精子亲密地拥抱在一起，悱恻缠绵，一面进行细胞分裂，一面沿着输卵管举行蜜月旅行，走走停停，是优美的浪漫曲；

第三乐章：受精卵进入子宫，一面滚动，一面附着，争取定位，竭力设法植入内膜，是充满惊险、充满悬念的幻想曲。

一次成功的演出，就是一曲纯洁、崇高的对新生命的赞歌!

2 精子的精神——不到长城非好汉

为了孕育一个新的生命，精子真有一股前赴后继、不到长城非好汉的精神!

虽然女性为迎接精子的进入，创造了很多有利条件，但是精子还是必须依靠自己的努力来完成任务。女性的阴道是一个酸性的环境，pH值只有4～5，不适宜细菌的生存，同样不适宜精子的生存。精子在阴道酸性的环境中只能存活1～2小时，所以只有强壮活跃的精子才有能力迅速地穿过子宫颈，而大批能力差的精子就只能牺牲了!

进入子宫腔的精子还要面对两个问题：一个是躲避子宫腔内白细胞毫不留情的吞食，另一个就是选择正确的前进方向。

在子宫腔内，精子只能奋力快速地前进，才能逃脱白细胞的吞食；在摆脱了白细胞的追逐后，精子还必须抉择往哪个方向去。输卵管有左右两根，往哪根去才是正确的？这个时候，精子们一般会兵分两路，向两个方向同时前进。结局是明摆着的，其中一路肯定是不对的，这一路的精子们最后会全部被输卵管吸收。而选择了正确方向的精子们，进入输卵管时已经疲惫不堪，多数已经丧失了与卵子结合的能力，它们还要在女性生殖道内经过一段时间的孵育，这个孵育过程也称为精子获能。获能后的精子头部会分泌顶体酶，精子只有武装了顶体酶，才能溶解卵子周围的放射冠和透明带，才能真正与卵子结合。

从出发时上亿的精子群，到获能后准备作登顶冲刺的数十条精子，能坚持到最后的一群精子可以称得上是真正的优秀者了。

卵子真是希望与这个群体中的冠军结合在一起呢!

3 受孕太容易了会怎样

怀孕实际上是一个优胜劣汰的过程。假如男方的精子和女方的卵子有一方不合格，要想生个孩子真是比登天还难。

想想也是，如果一个社会中没有竞争，不鼓励先进，只保护落后，那么这个社会一定是一个没有生机的社会。社会中处处存在竞争：一年一度的高考就是一个例子，它让莘莘学子们相互竞争，最终使得最优秀的学生进入高等学府。

卵子的职责就是在输卵管的深处等着最优秀的精子冲过来。如果一个精子连通过这段艰难长征的能力都没有，那么它与卵子结合的失败就在所难免了。

有调查显示，每次尝试的受孕率仅有20%，怀孕的难度的确很大。但人的生理机能就是如此，它的原则是宁可没有，也不可滥造。

既然如此，假设我们使怀孕过程变得十分容易，会怎么样呢?

比如说，让卵子就在子宫颈口等着精子，只要一射精，马上就有精子与它结合，然后再使受精卵上行到子宫着床，不需要任何竞争。这样怀孕是很容易了，但假如事情真的这样发展，我们真的该为此庆幸吗？

精子是由合格精子、不合格精子和畸型精子组成的。如果精子和卵子的结合像我们假设中的那般容易，谁能保证与卵子结合的一定是最好的精子呢？

试想一下，若干年后，你到幼儿园看一看，看到的大多是些先天愚型，缺手少腿，佝背弯腰，五官不整或者是兔唇的孩子，你的心里会怎么想？一定会觉得很难过吧！

4 营造浪漫气氛，在激情中孕育新生命

当我们抱着生育的目的做爱时，很容易造成紧张气氛，使得原本能够令双方感到愉悦的事情变得索然无味。

紧张会使你劳而无功，也会影响你的激素水平，还会干扰正常的排卵周期，降低受精的可能性，而这一切都会导致受孕的成功率下降。不仅如此，紧张情绪对男方也有很大影响，它会使精子总数下降，畸形精子数量增加，甚至有可能导致整个过程失败。

我们发现，女性在恋爱阶段怀孕的概率要比婚后高出许多。这就是因为，**在情绪兴奋、内分泌处在最佳状态的情况下，受孕也更容易成功。**

所以，创造一个温馨浪漫的气氛比我们想象中重要得多。

5 受精卵回归子宫

精子经过生死竞争，终于和卵子结合在一起，产生了受精卵。接下来，受精卵从输卵管向子宫方向移动，就完全依靠女性输卵管的蠕动与纤毛的摆动来完成！

受精卵的移动非常慢，开始的24小时，它在原地一动不动，第2天进入输卵管的峡部，在峡部要停留2天时间，细胞在这里分裂发育成桑葚胚。

直到第4天这个桑葚胚才进入子宫。这时的子宫已经发生了奇迹般的变化，与4天前大批精子通过的时候大不一样了。子宫内膜变得像地毯一样柔软，而且上面还长出许多像小手指一样的突出物，使进入子宫的受精卵能够附着在上面。这个景象有点像什么，你知道吗？就像一个攀岩运动员利用岩壁上的突出物攀附在岩壁上一样，不同的是攀岩运动员还有安全带保护着，而受精卵却一点保护也没有，而且这样的危险状态要持续整整2天！所以许多研究报道说，这个时期受精卵是很容易从子宫壁上掉下来的。

进入子宫的第6天，受精卵的滋养细胞分泌出一种蛋白酶，溶解子宫内膜，在内膜上溶出一个直径为1毫米的缺口，受精卵一旦植入这个缺口，就脱离了极其危险的状态。

到了第12天，这个缺口被子宫内膜的组织修复，于是整个受精与着床过程全部完成，回归子宫的受精卵从此开始了新的历程！

受精卵着床——生命从播种开始

我上面说得太专业了，看起来有点枯燥吧。

其实受精卵着床就像在地里种东西一样，最基本的一条就是要有一层足够厚度、营养丰富的土壤，这层土壤就是子宫内膜。最适宜的子宫内膜厚度应该在9毫米以上，若小于这个厚度，种子就像撒在贫瘠的黄土地上，很难生根发芽！

如前所说，受精卵一开始只是附着在子宫内膜上，与内膜没有任何牢固的联系。慢慢地，受精卵会在内膜上溶出一个缺口，并植入这个缺口。接着就像种子植入土壤，在土壤里生根一样，受精卵也会生出根来，这就是绒毛。起初，绒毛很少、很浅，一天天地，绒毛会越来越密，越来越深地长进去，直到长入子宫肌体。这个时候，有些妈妈会感到腹部很不舒服，有隐痛的感觉。

这个绒毛不断生长的过程大约要持续2个月，所以早孕的3个月是很关键的。受精卵与母体牢固地结合在一起，必须要等到绒毛长好为止，在此之前，妈妈们千万要小心，一定不能太劳累！在此期间，长途旅游、提重物、进行激烈的活动都是不适宜的。

7 了解自己的子宫——生命最初10个月的家

子宫是女性生殖系统中的一个重要器官，是宝宝生长发育的场所，宝宝在这里需要整整生活10个月，因此尽早了解子宫发育是否正常有着极其重要的意义。

通过了解子宫的发育状况，可以大体上了解其他内分泌系统是否正常，如脑垂体、下丘脑、卵巢等器官是否有问题，有无排卵障碍，是否具备了生育的基本条件等。

子宫的发育是受多种因素影响的。正常情况下，女性发育成熟后，子宫理所当然地具备了生育能力。倘若脑垂体、下丘脑、卵巢等器官发生了“故障”，子宫发育就会迟缓，而且其他第二性征也会受到牵连，不能及时地表现出来，甚至还会直接导致无生育能力。

姐妹们请注意，正常的子宫大小是（7～8）厘米×（4～5）厘米×（3～4）厘米。子宫发育不良可以用药物治疗，但是要早！因为不同年龄期的治疗效果是不一样的。在子宫发育期，一些针对性的药物效果很好，而过了子宫发育期，想通过药物刺激子宫增长就比较困难了。

8 子宫内膜——孕育新生命的土壤

一个月经周期中，在雌激素的作用下，子宫内膜会随着卵泡的生长而增生、变厚。一般内膜厚度在排卵前3天为8毫米，前2天为8.5毫米，前1天为9毫米，排卵的当天内膜厚度可以达到11毫米左右。这个时候，整个内膜松软且含有丰富的营养物质，为受精卵的种植做好充分的准备。

孕激素（也称孕酮）是控制子宫内膜的另一个主要激素，它的作用主要有以下4个。

◎ 使子宫肌肉松弛，活动能力降低，有利于受精卵在子宫腔内的生长发育。

◎ 使增生期子宫内膜转化为分泌期子宫内膜，为受精卵着床做好准备。

◎ 使子宫颈口闭合，黏液减少、变稠，拉丝度降低。

◎ 通过中枢神经系统调节体温。正常妇女在排卵后的基础体温可升高0.3～0.5℃，这种基础体温的改变可以作为排卵的重要指标，即排卵前基础体温低，排卵后基础体温高。

9 受精卵着床，条件缺一不可

前文中已经提到，受精卵借助输卵管的蠕动和纤毛摆动，向子宫腔方向移动，约在受精后第3天，分裂成由16个细胞组成的实心细胞团，称桑葚胚，也称早期囊胚。约在受精后第4天，早期囊胚进入子宫腔并继续分裂发育成晚期囊胚。在受精后第6～7天，晚期囊胚透明带消失之后植入子宫内膜，这个过程我们称为受精卵着床。

受精卵着床必须具备以下4个条件。

◎ 晚期囊胚的透明带必须消失。
◎ 囊胚滋养细胞必须分化出合体滋养细胞。
◎ 囊胚和子宫内膜必须同步发育并相互配合。若受精卵提前或推迟进入子宫腔，这时的子宫内膜还不适合受精卵着床，因此就会出现不孕或难孕等现象。
◎ 孕妇体内必须有足够的孕激素。

上述这些着床条件缺一不可，否则就会造成不孕。

10 受精卵着床，你能感觉到吗

卵子的受精是一个重大的事件，但是还比不上受精卵着床重大。受精卵着床对于女性来说，有着分水岭般的重大意义。

正因为事件的重大，因此姐妹们都急于想知道这个过程发生了没有？她们有时候对身体的细微变化敏感到了神经质的地步。

生理现象真的很复杂，虽然有共同的规律，但是个体差异很大，你能够感觉到的变化，另一个人可能一点也感觉不到！因此，即使有所谓的“着床感觉”，每个人的感觉也不相同。

不过，在姐妹们成功怀孕的经验介绍中，有些着床的感觉还是值得总结一下的，我现在就试试做这个工作。

◎ 着床降温。在排卵的第10天，基础体温骤降到36.58℃，第2天又猛升到了37.04℃。
◎ 小腹有一点隐隐的痛和酸酸的感觉。
◎ 乳房胀痛，乳头有触痛感。
◎ 有感冒的症状。

以上是播种网姐妹们提到的一些自我感觉，有共同的，也有较个别的。特别提一下第1条，希望测基础体温的姐妹们留意观察，如果这条规律能够被较多的人证实，那将是非常有科学价值的!

11 卵子受精后，怀孕成功的概率有多大

卵子受精后，是不是都会顺利发育成长？这是每个未准妈妈都关心的问题。

我们总希望每个受精卵都能够健康发育成长，给他们的双亲带来一个健康的小生命，但是，事实会让许多人失望。据调查，有15%～20%的受精卵发生了自然流产，而事实上，未觉察到的流产为数更多。

如果将受精卵因不能成功着床而流掉的情况计算在内，怀孕成功的概率只有不到50%，即每两人中就有一人不能成功怀孕。

受精卵遭遇“事故”主要是由于受精卵的染色体异常引起的，也与子宫发育不良或畸形、内分泌平衡失调、感染性疾病以及免疫因素等有关。专家认为，不良环境因素（如放射性物质和某些化学物质、病毒、噪声等）和精神因素（如极度忧虑、伤感等忧郁情绪）也可能引起流产。

流产后产生心理上的不快是难免的，但不要因一次自然流产而背上不必要的心理负担，产生自责和恐惧等负面情绪。**其实，大多数自然流产，特别**

是早期流产，流掉的只是不可能发育成正常胎儿的妊娠废物，是一种减少先天畸形的非常重要的自然筛选现象。

大家如果能够这样想一想，心理上可能就会轻松很多！

12 难孕有时只因平时习惯——女性久坐易不孕

三十几岁，久坐办公室的上班族女性容易出现难孕现象。长期久坐，会导致月经前及月经期腹部有剧烈疼痛，也会导致经血逆流入输卵管、卵巢，引起下腹痛、腰痛，这些都是导致难孕的原因。另外，由于久坐，缺乏正常运动，气滞血瘀，容易导致淋巴或血行性的栓塞，使输卵管不通；更有因久坐及体质上的原因，使子宫内膜组织因气滞血瘀而增生至子宫外，形成子宫内膜异位症，这些都是比较明显的难孕原因。

如果您的工作几乎都离不开坐，那么建议接受医师的建议，每工作40分钟后休息10分钟，做做伸展动作，或下班后从事散步、游泳、韵律舞等运动，这些都能有效地改善因久坐造成的血液循环障碍，进而使怀孕变得更加顺利。

13 怀孕后体内激素变化的良苦用心——维持早期胚胎发育的原理

好孕以后，姐妹们会听到来自各方面的忠告：应该这么做，不应该那么做！总之要小心翼翼，不能像平常那么漫不经心，随心所欲。小心行事的目的是创造一个安静的环境，避免外力对胚胎产生影响。这样的劝告有没有道理？有！因为我们看到太多由于不注意行动而流产的例子。然而，一动不动地卧床休息就能绝对避免流产吗？显然，也不是。在早孕阶段，要维持着床后的受精卵正常发育，其关键在子宫。

在受精卵着床到分娩前后的绝大部分时间，子宫允许胚胎在它里面生长发育；分娩时，子宫又能通过协调的活动将胎儿娩出。

为什么妊娠早期子宫允许胚胎在子宫内正常发育？这就是标题所说的“维持早孕的原理”！

看到“原理”两个字许多人都会头痛，认为凡是原理的东西都很深奥、很枯燥。我在这里要说的其实很简单，在妊娠早期，要维持受精卵正常着床、正常发育，主要须做到两点：防止免疫排斥反应和保持子宫处于安静状态。

◎ 防止免疫排斥反应

受精卵是精子与卵子结合的产物，从遗传学上看来，它是个“半异体”。医学上认定，凡是异体移植物都会受到宿主的排斥，产生免疫排异反应，而为什么受精卵这个“半异体”却能够被子宫所接受呢？科学家对此进行了大量的研究。结果发现，受精卵不被排斥，是因为母体对一个新生命的出现始终是呵护备至的，卵子一旦受精，母亲的身体机能就必须，而且一定会作出种种反应，来保护受精卵这个“半异体”不被排斥掉。

近年的研究表明，母体在妊娠期产生的许多血清因子和激素，可能参与对免疫排斥反应的抑制，从而保护了受精卵。这些激素包括早孕因子、人绒毛膜促性腺激素（HCG）、孕激素、催乳素和甲胎蛋白等。

母体内最早出现的是早孕因子。卵子一旦受精，在受精后的24小时，受精卵即可产生早孕因子，它能够抑制母体淋巴细胞的活动性，从而在着床期前后起到抑制母体免疫排斥反应的作用，因而保护了受精卵。

在早孕因子产生以后，母体还会产生另外一种激素，这种激素主要是在胎盘的合体细胞滋养层（绒毛膜）中产生，因此被称为人绒毛膜促性腺激素（HCG）。HCG的出现和不断增加，是目前测定女性怀孕与否的主要指标，其原因是，在正常情况下，女性体内的HCG极少，甚至没有，只有在受精卵着床后，HCG才大量增加！因此在受精卵着床后的4～5天，就可以发现孕妇体内HCG超过25mIU/ml；在妊娠60天以后，HCG峰值可以达到100000mIU/ml！如果是正常的宫内孕，90%的孕妇在怀孕后的头6～7周内，血浆HCG值每隔48小时可增加一倍，而85%的不能存活的妊娠，HCG增加的速度是每2天小于66%。如果血浆HCG值每隔48小时增长小于2%，这预示着受精卵100%不能存活。

为什么在受精卵着床以后，女性体内会出现平常不需要的激素呢？女性体内的激素绝对不会无缘无故地产生，HCG的大量增加有其必然的理由！

HCG主要的作用有两个，一个是让卵巢中的黄体转变为妊娠黄体，另一个是防止胎儿被母体免疫排斥。在排卵后的4～5周内，妊娠黄体对维持正常妊娠是不可缺少的，而且在整个妊娠期，黄体并未完全萎缩，而是继续分泌孕激素和雌二醇（当然与胎盘分泌的量是不能相比的）。

由于HCG含有大量的糖分子，它们吸附在细胞表面，因此能防止胎儿滋养细胞被母血中的抗体及免疫活性细胞排斥掉。

HCG很重要，怀孕以后，医生和姐妹们都很重视这个激素的变化情况，只要它在快速地增长，每48小时增加一倍或者接近增加一倍，大家就会非常放心。需要提醒的是，这个时候，大家常常会忽视另外一个激素，而这一个激素事实上比HCG更重要，它就是孕激素。

在整个妊娠期，HCG在开始阶段是快速增长的，但到了一个高水平后又会迅速下降，至孕18周时降至最低，并且在这个低水平上一直维持到分娩，所以指望HCG一直处在高水平来保护胚胎是不可能的。HCG的主要任务是不让黄体萎缩，促使黄体继续分泌孕激素。而孕激素是能够在整个妊娠期，随着胚胎的发育而不断增加的激素，它既能抑制母体对胚胎的排斥，又能使子宫安静下来！

孕激素作用于女性两个与生育有关的器官——乳房和子宫，这两个器官又称为孕激素的靶器官。乳房用于哺育婴儿，子宫用于孕育胎儿，都和培育一个新生命有关。

子宫内膜、子宫肌层、乳腺都含有特异的孕激素蛋白受体，所以对孕激素的变化非常敏感。许多女性，在排卵以后，月经以前，常常感到乳房胀痛，直到月经来临后，这种胀痛感才消失，其实就是因为孕激素水平增加，在雌激素的协同下，刺激了乳腺生长的缘故！因此，姐妹们一定程度上可以通过乳房的胀痛感来自我判断是否发生了排卵。

科学家对孕激素的研究已经相当深入。受精卵之所以能够顺利着床，主要是孕激素对子宫内膜做了最充分的准备，即所谓子宫内膜的蜕膜化。蜕膜形成过程中需要孕激素和雌激素的参与，如果此时切去双侧卵巢，蜕膜组织会由于缺乏孕激素的支持，而出血坏死，于是已经着床的胚胎和坏死的蜕膜就会一起被排出体外，发生流产。

孕激素，对保护子宫的安全，真是负着极大的责任！

◎ 保持子宫处于安静状态

孕激素为了新生命的成长，对子宫作了最完美的安排，让每个胎儿在里面度过他们人生最初的10个月。如果把子宫比喻为一个非常适合生活的居住环境，一套很豪华的住宅，那么它还要面对另外一个灾难——“地震”！而子宫有规律或无规律的收缩，从某种意义上讲，就是一场“地震”。

在妊娠足月的时候，子宫有规律地收缩能够将3000g左右的胎儿娩出母体，当然，在早孕阶段，也能将仅仅依靠一些绒毛与母体联系在一起的胚胎从子宫壁上剥离！这种情况一旦发生，就是一场灾难。

卵子在受精前，子宫的收缩或许在帮助精子进入子宫方面起过作用，但当受精卵成功着床后，子宫的收缩就变得有百害而无一利了。

如何让子宫从此能够安静下来，不再轻易收缩，成了一个重要的问题！在这方面，孕激素又起了极大的作用！妊娠期，随着孕激素数量的增加，会使女性减少对异性的兴趣，性欲会随之降低，这就从源头上防止了宫缩。

目前公认的一种看法是：孕激素之所以能维持子宫肌肉处于相对安静状态，是由于孕激素与子宫平滑肌细胞相结合，可导致兴奋的阈值升高！这样，就减少了子宫的自然活动，阻碍兴奋在子宫肌中传播，同时也降低子宫肌对缩宫素的敏感性。因此，在孕激素的作用下，妊娠子宫就不会那么轻易地发生强烈收缩了，从而使正常的妊娠得以维持。这也就是临床上常利用孕激素来保胎的一个理论依据。

不同的人有不同的兴奋阈值！“阈”是门槛的意思。阈值低，门槛就低，比较容易兴奋；阈值高，门槛就高，不会轻易兴奋。孕激素升高了每个人的兴奋门槛！

然而，再高的门槛也有被跨越的可能，所以早孕阶段，医生们总是劝告大家要静心寡欲，尽量克制自己不要同房。3个月的时间不算长也不算短，许多姐妹都能认识到孕育一个新生命的责任，谨慎地度过这段时间，但也有些人会破戒犯规，于是经常会发生同房后见红的情况，甚至造成流产。

姐妹们一定要意识到卵子受精后能够成功着床已属不易，要谨慎度过事故多发的早孕阶段！

CHAPTER

第2章 聪明与健康，男孩与女孩是否都由上天决定

每一位父母都希望生一个健康、聪明的宝宝，那如何才能做到优生呢？

优生一般由3方面因素决定。

◎ 遗传因素。即父母的遗传基因， 但是父母的遗传基因是确定的，无法改变。

◎ 身体及营养状况。例如有计划地安排受孕，将自身的身体状况调整到最佳状态。

◎ 受孕时的精子、卵子的状况。在精子和卵子，特别是卵子排放出来的最鲜活的时刻受孕对优生大有益处。

对于第3点，需要特别强调一下，现代优生学发现，在精子、卵子最新鲜的时候受孕可以得到优质的胚胎，可以大大降低流产的可能，降低受精卵畸变的可能。用一句话总结就是，新鲜的才是最好的！

1 天然的淘汰机制

为了繁衍优秀的后代，人类的生理机制作了煞费苦心的安排，它使用最重要的两个手段：一是选择优秀，二是淘汰落后。

这两个手段贯穿在生育的始终，处处存在着，时时存在着，使你一想起来，就觉得非常奇妙，不可思议。

◎ 选择优秀的精子

我们观察精子的竞争，就像一场马拉松竞赛，其激烈的程度甚至远远超出这种长距离的体育比赛。

比赛一开始，所有的运动员一起出发，浩浩荡荡，万头涌动，甚为壮观！但是跑了不久，就出现差距了。形成了速度不同的几个方阵，活力大的方阵逐渐脱离大队，在前面领跑，而大批实力不济的则落在后面。慢慢地，这种差距会越来越大，跑在前面的越来越少，落在后面的越来越多！

最后，我们看到有一个运动员最先跑进了体育场，冲向终点，这就是上亿精子中的最优秀者。

◎ 选择优秀的卵子

对于卵子的选择就像一场人才招聘会，当贴出一则招聘告示后，立即会有不少人递来申请表，表示愿意竞争这个岗位。

女性性激素中的卵泡刺激素（FSH），在月经期开始，由于雌激素和孕激素的降低，解除了对下丘脑的抑制，这时候FSH值就会出现一个高峰，与此同时，一批卵细胞前来报名。在这个阶段，卵巢中总是有几个或者十几个卵泡在同时发育。

但是这几个或者十几个卵泡中到底哪一个最合适？在人才招聘中最常用

的方法是面试或者笔试，看看谁最有能力胜任。而内分泌对卵泡的选择采用的是很严厉的死亡政策，在高峰以后，FSH马上会降到很低，这时质量较差的卵泡会承受不了低FSH水平的窒息而闭锁，而具备较多“受体”的一个卵泡却能够承受严酷的条件而继续发育成熟，最后在FSH和黄体生成素（LH）双重高峰的作用下排出。这枚卵子当然也是应聘者中最有能力的一位了。

每位女性每个月通常会排出一个卵子，这个卵子是从众多来应聘的卵泡中挑选出来的。那么，是不是每个月一定会有一个或者只有一个卵泡发育呢？实际情况说明，并不一定是这样！

FSH在卵泡期降低水平，目的是让许多不合格的卵泡闭锁，但是在众多的卵泡中，或许会有两个卵泡同时通过了死亡考验！那么，姐妹们在B超检查中就会发现卵巢中有两个或两个以上的优势卵泡在同时发育。

相反，假使这个月根本没有一个卵泡有能力通过严格的考验，卵泡被全部闭锁了！那么，你在做B超检查时就看不到有优势卵泡存在，于是这个月不可能排卵了。

一个卵泡发育，多个卵泡发育或者没有卵泡发育，无论出现哪种情况，姐妹们都应该明白这是一场“人才招聘会”的正常结果！

如果看到有两个优势卵泡在同时发育，大家都会很高兴。因为受孕的机会增加了，甚至还有双胞胎的可能，真是很美的一件事情。没有发现优势卵泡的姐妹，会很沮丧，甚至会恐慌起来，以为身体出了什么大问题，急匆匆地跑到医院做各种各样的检查。其实，一点问题也没有，一年12个月，偶然有1～2个月不排卵，是非常正常的，这并不能说明内分泌存在问题，只要不是连续几个月或者长时期不排卵就没问题。如果上个月还有非常正常的排卵，而这个月没有，只是说明这个月多半是没有招到一位合格的“人才”而已。

有卵泡发育，是很平常的事情。每个育龄女性一般每个月都会有一个卵泡发育成熟起来。最后长到合适的大小时排出。什么是合适的大小？没有一个绝对不变的尺寸。卵泡大致在直径为1.7～2.3厘米的时候排出，如果超出了这个范围，比如直径小于1.6厘米，卵泡还没有成熟，属于小卵泡排卵；超过2.5厘米，卵泡过于成熟，属于大卵泡排卵。无论是小卵泡排卵，合适的卵泡排卵或者大卵泡排卵，只要排出，卵子一般都能够受精，变成一个受精卵，通过输卵管进入子宫，附着在子宫壁上。

◎ 淘汰不合格的受精卵

受精卵着床的过程很复杂，到目前为止专家们还在研究之中，不过对受精卵进入子宫后，先后经历了附着、定位和植入这3个步骤是达成共识了的。

受精卵要发育，首先是要能够附着在子宫壁上，这一点很重要。如前文所说，由于子宫内膜经过分泌期的变化，在表面长出了许多突出物，同时宫壁表面富含碳水化合物的有机分子，和早期胚胎外层细胞表面的“L-选择素”的蛋白质发生互相黏着作用，使胚胎进入子宫后的运动速度逐渐降低，并最后停步。

早期胚胎的这种运动过程，就好比一个网球滚过满是糖浆的表面，胚胎沿子宫壁的旅行最终将会被这种相互的黏着作用所终止。

真正考验的时刻到了！受精卵能够黏着在子宫壁上，却不一定就能够植入子宫内膜内。

难点有两个，其中之一是子宫内膜的敏感期，子宫壁表面的碳水化合物在一个短暂时间段内达到峰值，早期胚胎只有在这段时间中才有可能着床，过早或者过晚都不行，这就像一个单位的办公时间，只有在办公时间内才接待来访者。

难点之二是虽然在办公时间内，但是办公室的门却是锁着的，受精卵还得设法打开锁，才能推门而入。子宫内膜并不自然接受受精卵植入，受精卵必须连续分泌出足够的蛋白酶，才有能力在内膜上溶出一个洞来，不合格的受精卵往往就在这里被淘汰出局了，因为它没有能力去打开办公室门上的那

把锁。最后，没有植入子宫内膜的受精卵，随着月经一起被排出体外。

精子和卵子的结合虽然很难，但是相对于受精卵着床来讲，还算是容易的。**整个妊娠过程中，有部分受精卵就是因为最后没有成功着床而功亏一篑。调查发现，实际上约有一半的受精卵是失败在最后阶段的。**为什么受孕率这么低，与不容易着床有着密切的关系！

不过，到这一个阶段，受精卵的淘汰还是很自然的，是在女性不知不觉的状态下发生的，此时的受精卵还没有与母体发生密切的联系，它的淘汰不会对母体造成任何伤害，所以你几乎可以不受影响地立即再次受孕。但是淘汰机制不是就到此为止，受精卵一旦植入子宫内膜，由于种种原因，淘汰仍将进行，以后的阶段，就属于胚胎的淘汰了。我们经常看到的流产或胎停育就是属于此类，它是在不自然的状态下发生的，每次淘汰都会对母体造成一定的伤害。

在早孕时期，当胚胎尚处于生化妊娠阶段，流产率为15%～20%，比例是相当高的。出现了流产或者胎停育，会对女性的身体和心理造成不小的伤害，所有的人都会问，到底出了什么问题？对此，医生很难给你明确的答案，因为造成这一现象的原因实在太多，谁也不可能一下子找准真正的原因！

胚胎遭遇“事故”主要与受精卵的染色体异常、子宫发育不良或畸形、内分泌平衡失调、感染性疾病、病毒以及免疫因素等有关。前文还提到，不良的环境因素（如放射性物质和某些化学物质、病毒、噪声等）和精神因素（如极度忧虑、愤怒、伤感等忧郁情绪）也可能引起流产。

当出现流产或者胎停育，有的医生会要求你做染色体分析，他们认为染色体异常是个重要的原因。染色体异常的卵子或精子，也能够受精，也能够着床，不过一般它们在孕早期就会被毫不留情地淘汰掉，因为异常的生殖细胞是孕育不出健康的下一代的。

然而，有流产历史的夫妇中，出现基因异常的只占3%～8%，这说明基因异常实际上并不是流产的主流原因。**目前，在国外，鉴于这种分析的低产**

出和高投入（价格贵），它通常（也应该）推迟到2次或3次流产后进行，首次流产就做染色体分析没有必要。

在决定要不要进行染色体分析的时候，应该考虑的是：**年轻夫妇染色体异常的可能性比高龄夫妇小；而在强辐射和强电场环境中生活工作的夫妇要比在正常环境中生活工作的夫妇大得多！**

在孕早期被淘汰的胚胎，多数都是衰弱的受精卵，由老化的精子（受精前已经存在三四天）和老化的卵子（已排出24～48小时）形成的胚胎易致流产。衰弱的受精卵一般很难着床，但是也有侥幸着床成功的，受精卵着床以后，胚胎的滋养细胞会立即分泌出HCG，而且以每两天接近翻一番的速度增加。

老化的受精卵没有能力产生足够的HCG，HCG增加很慢，血β-HCG测定，有时虽处于正常值，但一定处于低水平，甚至有连续下降的趋势，这样的情况就让人非常忧虑了！

上述流产或胎停育的原因是胚胎方面的，对于女性来说，有一颗生命力强大的受精卵真是幸运，它可以弥补母体的许多不足，同时使你的整个孕期顺顺利利！

2 迎接宝宝到来，要做哪些检查

为了做到优生，我们一般建议在孕前做一个孕前（优生）检查。

优生检查的项目除一般的体格检查外，还包括血、尿常规检查，乙肝表面抗原、子宫颈抹片检查和一些特殊病原体的检测。有条件的地方还应该进行染色体的检测，避免遗传性疾病。

若男性接触放射线、化学物质、农药或高温作业等，可能影响生殖细胞时，应作精液检查；若可疑患有性病或曾患性病者，应进行性病检测，以便发现异常及时治疗，使双方在最佳健康状态下计划怀孕。

3 特别重要的优生五项（TORCH）检查

病毒是与人类共存在地球上的一种有害微生物，种类繁多，而且不时出现大范围的流行，给人类造成巨大损失！鉴于有些病毒会对女性和婴儿造成伤害，所以优生专家倡议姐妹们在怀孕前做一个病毒抗体检查，也就是所谓的优生五项检查，英文缩写为TORCH。

◎ 弓形虫（Toxoplasma）
◎ 其他柯萨奇病毒，衣原体等（Other）
◎ 风疹病毒（Rubella Virus）
◎ 巨细胞病毒（Cytomegalo Virus）
◎ 单纯疱疹病毒（Herpes Stmplex Virus）

把这5种病毒的第一个英文字母组合起来，就是TORCH 。

在种类繁多的病毒群体中，专家们为什么特别提出要检查以TORCH为代表的这几种病毒呢？原因是这几种病毒具有很大的欺骗性，母体感染了这几种病毒后，自己并没有什么不适的感觉，也不会表现出特别的症状，会让大家误以为自己是处在一个完全正常的状态中而轻易怀孕。但是，一旦怀孕，这些潜伏的病毒对胎儿的危害是极大的：在孕早期，容易造成流产和胎停育；在孕后期，容易导致流产或胎儿先天缺陷及发育异常。

◎ 弓形虫会引起脑内钙化、小脑积水；
◎ 风疹病毒会引起白内障、心脏畸形；
◎ 巨细胞病毒会引起小头畸形、脑内钙化；
◎ 单纯疱疹病毒会引起角膜结膜炎、皮肤水疱；
◎ 这些感染中，以巨细胞病毒感染最常见且危害最大。

TORCH检查之所以被称为“优生五项”，说明该检查与胎儿的优劣有着密切的关系，因此该项检查应当安排在孕前进行。若在孕前查出问题，我们有充分的时间调整。如果是在怀孕之后查出问题，就会使你自己、家人以及医生处在左右为难的境地，不论保留或者舍弃都是个十分痛苦的决定。

4 聪明宝宝成长在良好的“子宫环境”中

美国科学家发现，人的智商并不完全由遗传基因确定，胎儿在子宫孕育期间受到母体的重要影响，“子宫环境”在很大程度上决定了孩子未来的智力水平。

科学家按照调查研究实情分析，同卵双生儿智商惊人地相似不完全是由于他们共同分享（先天）遗传基因（同卵双生儿携有全部相同的基因）以及（后天）生活环境的缘故，而是胎儿期共有母体的“子宫环境”。

在同一子宫中胎脑获得了实质性的生长发育，由此造成他们之间的极为相似和智商相当。据科学家估计，遗传基因对智力发挥的作用占48%左右，其余52%都由环境影响。这里的环境就包括了母体的“子宫环境”。

正是因为“子宫环境”对优生具有如此重要的作用，所以**母亲们要注意了，一方面要注意加强营养，不要抽烟、喝酒，另一方面要注意不要接触有**

毒物质和有害气体，以免影响孩子未来的智商。

5 传说中的生男秘方

一般认为，夫妇双方体液都呈碱性的时候比较容易生男孩，呈酸性时则比较容易生女孩。

人的体液的酸碱度，其高低取决于两方面的因素：一是日常饮食中的食物构成，二是机体内部的自我调节功能。食物按其所含元素成分的多少可分为碱性食物、中性食物和酸性食物三大类。

> 凡含钾、钙、镁、钠等碱性元素较多的食物一般为碱性，凡含磷、氯、硫等酸性元素较多的食物一般为酸性，有些食物如提炼得很纯的油脂、糖、淀粉等，基本上不含有上述两大类元素，因此属中性食物。

多食碱性食物，人的体液可呈碱性；多食酸性食物，体液则呈酸性；而吃中性食物，则不影响体液的酸碱度。人体具有很强的自我调节功能，对食物有很强的适应性，碱性食物食用过多，机体会在新陈代谢时增加酸的产生以中和过多的碱，或是增加碱的排泄以保持体液酸碱度的相对稳定。

我曾看过一篇文章：我老公不抽烟，就生了个男宝宝！姐妹们观察一下周围的人，是不是抽烟的人特别容易生女孩？想生男孩先戒烟吧。仔细想来，这篇文章说得很有道理。

英国著名医学权威杂志《柳叶刀》曾指出，日本和丹麦科学家组成的联合科研小组对11815个新生儿的父母进行调查研究后得出结论，有吸烟习惯的夫妇生女孩的概率更高。科学家将调查对象分成了3组：夫妇均不吸烟、每日吸烟总数在20支以下和每日吸烟总数在20支以上。结果发现第一组家庭男孩的出生比例最高，为55%；而第三组家庭男孩的出生比例最低，仅为45%。即使夫妻只有一方吸烟，生男孩的概率也会降低。而且越是瘾君子，生女孩的概率明显越高。此前曾有研究指出，压力、温度以及男方结婚的次数等都会对男女孩出生比例产生不同程度的影响，但吸烟影响男女出生比例在医学界还是首次提出。

CHAPTER

第3章 非妈助孕法 *1*

放松心情最重要

前不久，看到“安安康康”在播种网上发的一个帖子，题目是“怀孕生子是一件非常自然的事情，现代人把它搞得太复杂了！”内容不长，我把它贴在下面：

千百年来，繁衍后代就是人类生存的主要任务，即使在远古时代、战争年代，条件恶劣的情况下人类依然在完成着这个神圣的使命，使人类生生不息！但随着现代科技的不断发展，这原本自然的行为却变得异常复杂，不孕、难孕的现象逐年增加，而且还时常有怪现象发生：费劲心思却不孕，一朝放松就马上怀孕。在此要提醒广大未准妈妈，渴望宝宝的妈妈，一定要放松心情，该有的总会有，该来的总要来，除非有大的病因。

看了这个帖子，很有同感。是的，现代女性把一件自然的事情弄得过分复杂了，使原本很轻松的过程变得压力重重，而心情过度紧张会直接影响受孕。

所以要想使怀孕变得更自然、更顺利，我们首先要做的就是放松心情，这也是我把“放松心情”设定为第一助孕法的原因。

希望下面的内容，可以帮助未准姐妹减轻心理负担，放松紧张情绪。

CHAPTER

3 非妈助孕法 1 放松心情最重要

1 走出怀孕误区，为自己减负（1）——自然功能

要个宝宝到底难不难？恐怕很难有统一的答案。许多初尝禁果就怀上宝宝的少女，认为怀孕很容易，易如反掌；而婚后三年五载没有受孕的女性，则认为怀孕很难，难如登天。

客观来看，生儿育女是人的自然功能，和吃饭一样简单和自然。在古代，人们就常说：食色，人之性也！意思是吃饭和性是人类与生俱来的本能。

你看，刚生下来的婴儿，嘴巴到处转来转去，寻找的是母亲的乳头；而孩子一生下来，大人首先要看他（她）的生殖器，说明生殖器的重要意义。

再往前看，在原始社会，文化生活极端落后，但是他们也会给我们留下些信息，考古学家发现不少刻画在山崖上的壁画，其中绝大部分的内容是狩猎和对生殖的崇拜！

如何理解？很简单！狩猎，是为了获得食品，“食”是延续生命的需要；而对生殖的崇拜，也是为了延续生命，甚至是为了延续整个物种的生命。生殖是所有物种最基本、最强大的功能。

这些功能自然到什么程度？自然到全过程都是在不知不觉中完成的。你只要尽情地享受这个过程就可以了！比如吃东西，当你享受完一顿美味佳肴以后，你根本不会去想食品从入口到排出，还要经过一个长长的消化吸收过程，要进行很复杂的物理和化学反应。

生儿育女也一样，在愉悦的性爱之后，接下来的复杂过程是由内分泌系统和各个生殖器官去共同参与完成的。它们会自然而精确地调整到最佳状态，让精子与卵子顺利地会合，进入子宫着床，接着使受精卵发育成长，一直到分娩。整个过程自动地进行着，不需要你插手干预，这个复杂而神奇的生命旅程，几乎都能圆满完成！对于这样一个复杂而神奇的过程，我们也最

好不要去插手干预，更不要人为地终止甚至破坏，最明智的做法是让它顺其自然地进行下去！

走出怀孕误区，为自己减负（2）——泰然处之

没有任何一条工业生产线能够与人体的机能相媲美！女性的身体就像一条高智能的工业生产线，对待受精卵关怀备至，把调控能力发挥到极致，一路呵护它发育生长，直至一个生命体呱呱坠地。

然而，也像所有的工业生产线一样，在投产的调试阶段，容易产出废品。女性体内首次出现的受精卵，有时也会让内分泌系统不知所措，不知道如何应对是好，因此偶尔也会出错。

同时，女性的生殖系统，还具有完备的淘汰机制，只要是不合格的受精卵，基本都会被它挑出、摒弃。

有些姐妹初次怀孕就发生了自然流产或胎停育，此时的心情真是沮丧到了极点！她们迫切地想知道到底出了什么问题？于是到医院去做各种检查。不过，对于首次流产，即使是极有经验的医生也常常给不出一个明确的答案，因为原因实在太多。医生找不出确切原因，姐妹们就往往对再次怀孕有了恐惧感，觉得一点信心都没有了。

我的理解是：在诸多的原因中，有很大一部分是因为女性机体这条工业生产线在调试中出现了问题或者受精卵不合格造成的，因此不要因为一次自然流产就背上不必要的心理负担，其实大多数的自然流产，尤其是早期流产，流掉的只是不可能发育成正常胎儿的妊娠副品，是一种减少先天畸形的非常重要的自然筛选现象。

只要这样想一想，你是不是就轻松多了，更能泰然处之了吧。

3 走出怀孕误区，为自己减负（3）——无须计划

生育是人类强大的自然功能，差不多每个女性都能做妈妈，只要夫妇双方努力了，迟早会成功！不过，怀孕也不是想做就能立即做到的事情，它是一种机缘，是一种巧合，也就是大家经常说的“缘分”，两个人的各种条件刚好凑合到一块了，就怀孕了；条件凑不到一块，就失败。

成功诚然能够期待，失败也不可避免！不要认为不避孕了，孩子马上会来，怀孕只能顺其自然，不能强求，孩子提前来了，就要欢迎，绝对不要去做拒绝他（她）来到这个世界上的傻事情；暂时不来，更要有点耐心。

有些姐妹喜欢定计划，比如计划在1～2个月内怀上，而且把计划向大家公布，弄得人人皆知。这样做没有什么好处。我可以肯定地说，能够按计划完成的人是少之又少的。肚子迟迟没有动静，双方的父母、朋友和同事就会十分关心，而过分的关切最后会变成一种压力，有了压力，心情难免紧张，而紧张直接影响受孕。

因此，我向姐妹们建议，怀孕成功了再宣布比事前就向大家宣传要好得多，会大大减轻心理压力。

怀孕无须计划！

走出怀孕误区，为自己减负（4）——各种误解

怀孕的禁忌太多，会造成大家心理紧张。你想，谈到要孩子这件事，周围的人就会告诉你，什么事情不能做，什么事情应该做。在报纸杂志和网站上也能看到类似的禁忌忠告和似是而非的优生理论，如果你都信以为真了，那真好像是站在布满地雷的雷区，不知道如何举步才好。这种情况下，能不感到紧张吗？

误解之一：月圆之夜不能同房。

据说月亮的引力会影响受精卵的质量，因此会直接影响到将来孩子的智力，弄得排卵期正好在农历十五日的姐妹们左右为难：同房不好，不同房也不好。

观察月亮对地球的引力，最好去看钱塘江的潮水，每到农历八月十五，钱塘江的潮水蔚为壮观，看潮的人也是如山似海，这种现象前后长达半个月之久。所以按照月圆之夜不能同房的理论来推测，不能同房的时间不只是十五日，月亮很圆或者不是太圆的日子，其引力都很大，所以应该等到月亮一半亮一半黑的时候，才适合同房，因为这才是决定孩子聪明和愚蠢的平衡点。这样一来，半个月的时间就白白浪费了。

而事实上，每天都有人在生孩子，没有统计资料证明前半个月出生的孩子是聪明的，而另外半个月出生的孩子存在智障。医生也不支持这个月圆之夜不能同房的理论，因此，谁要是相信它，那真是陷入了误区！

误解之二：豆制品会杀精，不能吃。

传言豆制品有极大的杀精作用，因而许多姐妹忧心忡忡，视其为毒物！虽然这种说法传得沸沸扬扬，但经不住实践的检验。

在中国，食用豆制品已经有了几千年的历史。在古代，中国妇女并没有人要求她们在排卵期少吃豆腐或者不吃豆腐，她们甚至连有个排卵期都不知道，但我们的先辈们一生中生两三个甚至三四个孩子是很寻常的事情。

大家千万不要听风就是雨，在接受一种说法之前，一定要先弄清楚它是不是符合事实。

误解之三：一定要按照生理节律来优生。

有不少人向我们宣传按照生理节律的理论来优生。生理确实有周期性的变化，有高潮和低潮的区别。有人发现，人的体力、情绪和智力分别以23

天、28天和33天为周期在变化，从出生的那一天起由零点开始同时循环，当三种节律都处在高潮顶点时，受精的卵子才是最好的。

有些姐妹喜欢追求完美，她们认为孩子要么不要，要就应该要最好的，于是开始计算日子，制订计划。但是，按照这个理论来优生，是那么容易办到的事情吗？且不说体力、情绪和智力这三个高潮的日子要重合在一起有多难！即使你自己找准了这个日子，你老公未必找准，两个人都处在相同高潮的日子是多么的不容易！

或许到了某一天，两个人的高潮日子真的同时来了，又能怎么样呢？你不一定正好处在排卵期啊！如果你很不巧处在月经期，那就只能放弃这个周期，重新开始计算和等待另一个周期。一等再等，时间等掉了许多，人也因此变得焦躁不安。

我看，与其去追求一个神童，不如顺其自然，在合适的时间生个孩子。我们要清楚，一个孩子将来有多大的成就并不完全取决于天赋，所谓“三分天赋，七分努力”，后天的教养才是成才的关键。

所以完全没有必要刻意地追求所谓的“完美”，而把自己弄得紧张兮兮的！

5 走出怀孕误区，为自己减负（5）——早胜于晚

生个孩子，作为女性追求的一个目标，或者是作为一种责任，抑或只是一项任务，无论从哪个角度来看，都是早些完成比晚些完成好。

在封建社会，结婚年龄是相当的早！到了十六岁左右，也就是“二八佳人”，就有媒人上门说亲了。结婚以后正好处在一个易孕期。因为对生育没有丝毫时间上的紧迫感，有的都是新奇和兴奋，所以很容易就怀孕了。一旦怀孕了，也正是家人和亲友们所期待的事情，绝对不会因为还没有领结婚证，或者工作尚未稳定，经济还没有基础等原因而不要，去做人工流产或药物流产这种傻事情。

比较过去和现在对待婚姻和生育的观念，可以发现这些观念已经有了非常大的变化!

过去，对于青年男女的交往，几乎接近绝对的禁止，所谓男女授受不亲，然而却提倡早婚早育，多子多福。这样做的一个好处是，婚前性行为减少了，人工流产的事情也很少发生，在客观上保护了女性的生育能力和身体健康。

而现在，主张晚婚晚育，主张一个家庭只生一个好，但是并不特别禁止青年男女的交往，很自然的一个结果是婚前性行为比过去多了，如果此时女青年不知道如何保护好自己，意外地怀孕了，就会使两个人处于十分为难的境地。

虽说现在对婚育的态度与过去相比已经有了非常大的进步，但是对未婚先孕还不是很宽容。许多人，特别是双方家长和亲友对此一般不会欣然接受，有些地方甚至认为是有伤风化，于是许多青年迫于压力只能走一条极端的路——终止妊娠!

不少专家都很反对第一胎就做流产手术，认为这有很大的副作用，会产生后患。涉世未深的青年们一般认为怀孕很简单，今后想什么时候要都可以。他们不知道，目前容易不等于将来也容易，等你们什么条件都具备了，再想要个孩子的时候，情况或许已经发生了变化。例如生殖系统的某个器官可能出现了故障，发生了病变，这时你就需要花上很长时间去医治，要孩子的时间就会显得紧迫，因而会直接影响你的心情，心情一紧张，内分泌就容易跟着失调。**我们要记住，人的生殖能力不会始终保持不变，只会越来越差，这是个不变的规律。**最后，或许你只能借助于辅助生育手段来要个孩子了，这个时候，各种激素和药品像流水一样注入你的身体，你的金钱也像流水一样流入医院，一次次的失败直弄得你身心俱疲，于是，你就会醒悟到，要个孩子真是“早比晚好”!

我们期望有一个宽松的社会环境，让青年们自己决定如何对待早来的第一胎，不希望像现在这样给予压力，使她们走上人工流产的道路。

目前的医院内有两个科室——计划生育科（人工流产室）和不孕不育科，总是人满为患。其实，这两个科室有着正相关的关系，如果你去做个详细的问卷调查，就会发现，在不孕不育科就诊的不少患者，很多曾经是进入人工流产室的女性。将来，到了某一天，一旦人工流产室冷清了，可以肯定的是，去不孕不育科的患者也会减少很多。

我们不支持未婚先育，但我也经常在想，如果男女双方确实相爱，愿意负责任地组成家庭，就不妨留下这个上天恩赐的礼物，不妨理直气壮地抱着孩子结婚！这当然需要些勇气，但是只要你是开拓者，你就应该坚持下去，坚持这个正确的选择。

不管别人怎么看你，用你自己的方式去看世界！

走出怀孕误区，为自己减负（6）——树立自信

姐妹们急于求成的心理，也容易造成紧张情绪。她们今天决定要个孩子，最好明天就怀孕成功。如果连续两个月失败，就会急躁起来，怀疑自己有什么毛病，也怀疑老公有什么毛病，急匆匆去医院做检查。

有一些医生，为你做种种检查真是不遗余力，不管是不是需要，都一股脑地上，而且总能查出些毛病来，同时把病情说得很严重，使你惶惶不安，心甘情愿地任其安排。有些姐妹形容这种情况是：人为刀俎，我为鱼肉。花钱还是小事，浪费的时间和造成的精神压力才是最大的损失！

事实上，在正常情况下，每对夫妇的受孕率是20%左右，在半年内成功或不成功均属于正常。怀孕需要双方的机缘巧合才成，所以姐妹们尽可以顺其自然，不必过于心急。

要相信自己，相信老公，更要相信科学，也要相信播种网姐妹介绍的经验。只要你们掌握了基本的生理知识和必要的应用技巧，成功是不成问题的，不过是早点晚点而已。

7 走出怀孕误区，为自己减负（7）——奥运现象

每月一次排卵，排卵前低体温，排卵后体温轻度升高，是育龄女性共同的生理现象。从基础体温曲线的变化中可以看出很多问题，所以医生一般要求大家每天坚持测基础体温，并且画出曲线。于是测基础体温成了许多姐妹每天清晨醒来做的第一件事情，这不过是一件常规的工作，却也会引起紧张情绪。

人人都希望能测到一条标准的双相体温曲线。

月经周期一般为28天，从月经开始往后连续14天是低体温期，在低体温的第14天出现一个月内的最低温，提示低温排卵，在第15天体温上升0.3～0.5℃，进入为期14天的较高体温期。这当然是非常理想的状态，整条体温曲线十分完美，每个医生都会告诉你，这个周期你有正常的排卵，而且黄体功能良好，内分泌处在十分协调的状态之中！

每个月都能够测到标准双相体温的姐妹是很幸运的，说明内分泌很正常。但是大部分人就从来没有测到过标准的双相体温曲线，常常是应该快速升高的体温迟迟不升，像蜗牛爬楼梯一样快不起来。对于她们来说，看着每天体温的起起落落，难免心潮起伏。

排卵后，体温不升高，或者体温升高呈现爬坡现象，是不少姐妹会遇到的问题，为此她们很是担心，认为是黄体不足，生怕影响到受精卵着床。

按照医学的说法，这的确是黄体不足的表现，但是我认为，它还不至于影响到怀孕。许多人的成功经验已经证明了这一点，生理机能真的很神奇，它有着强大的调整能力，可以顽强地调整到最佳状态！

为了减轻姐妹们的心理负担，我向大家揭示一个深层次的生育生理机能，我把它类比于奥运现象。对于一个国家而言，申请举办奥林匹克运动会是一件大事。一个国家为了取得奥运会的举办权，差不多提前8年就会不遗余力地动员各方面的力量，在各种场合展示自己的魅力，去影响每个委员的投票意向。

在成功地取得了奥运会举办权之后，国家就要进入实质的准备阶段，在8年的筹备时间内全力以赴地去解决诸如市政交通、环境卫生、人员培训和体育场馆建造等工作，保证在奥运会开幕式到来的前一刻完成所有的筹备工作，确保开幕式的如期举行。

每个国家开展筹备工作的风格是不一样的。有的国家是在获得举办权之后迅速做出反应，快速地投入到筹备工作中，有的是有条不紊，紧张而有序地开展筹备，有的则是在后期突击准备。当然，无论是哪种筹备风格，可以肯定的是都能够顺利举办奥运会。

对女性来说，怀个孩子犹如国家举办奥运会一样重大，卵子的受精就像是争取到了奥运会的举办权，而受精卵着床就如同举办奥运会盛大的开幕式。卵子受精到受精卵着床至少有整整6天的筹备时间，让内分泌有足够的时间进行调整，就像奥运会举办国至少有8年的时间来筹备一样。在这6天里，黄体发育成熟，孕激素逐渐达到正常，子宫内膜完成由增殖期向分泌期的转变，使其适合受精卵着床。正是有了这6天的筹备时间，大部分即使没有很好基础的女性才有了怀孕的可能。

就像不同国家具有不同的筹备风格一样，不同女性的基础体温变化具有不同的特点。有的女性在排卵后，体温迅速升高，呈现出标准的双相体温曲线；有的女性在排卵后，体温上升较慢，呈现爬坡状的基础体温曲线；有的女性在排卵后，体温没有立即升高，要过了2～3天才上升。个体差异导致测出不同的基础体温曲线，能测到标准的双相体温曲线的是少数，大多数人的体温曲线并不理想。不过没关系，就像不同的筹备风格都可以保证奥运会顺利开幕一样，排卵后体温出现爬坡或者排卵后保持低体温状态都没关系，只要子宫环境在第6天为着床做好了充分准备，让开幕式能够顺利进行，就都能够怀孕！

重视结果，不过分介意过程，这就是奥运现象！理解了这个现象，大家是不是减轻了不少紧张情绪？

8 走出怀孕误区，为自己减负（8）——溶血释疑

女方是O型血，男方是其他血型的夫妻配对，最担心的就是胎儿溶血症。

从理论上讲，只要夫妻双方血型不同，胎儿从父亲那里遗传的抗原必定是母亲所缺乏的，任何人在与自己缺乏的抗原接触时，即可致敏产生抗体，当有足够数量的胎儿抗原进入原本缺乏这种抗体的母体循环时，母体就会通过免疫系统先后产生IgM抗体和IgG抗体。这些抗体对胎儿是非常不利的！

当IgG抗体再次通过胎盘，到达胎儿血循环，就会引起胎儿红细胞溶解，从而出现母儿血型不合性的胎婴儿溶血。当胎儿红细胞与来自母体的免疫抗体结合后，胎儿因红细胞被破坏而发生不同程度的贫血、血胆红素增高、黄疸、骨髓增生、心衰、肝脾大、胸水及腹水，甚至全身或头皮水肿儿或死胎。

那么是不是应该找个相同血型的人结婚呢？我认为几乎没有这样做的可能！男女双方从相识、相知到相许，从来都是以感情为基础的，很少有人想去了解对方是什么血型。由于血型的种类很多，经过随机选择，绝大部分的夫妻配对，血型相同的情况是很少的。

其实，姐妹们也大可不必为与自己的老公血型不同而忧心忡忡！**虽然在理论上，好像不同血型的人结婚造成母儿血型不合性溶血症的概率颇大，但是在实际生活中，这种胎婴儿溶血症并不多见！**

在我国人体15个血型系统中，常见的只是ABO系统母儿血型不合，其次是母婴Rh（恒河猴）系统。根据医学统计，在全部妊娠中，ABO血型不合占20%～25%，而发生溶血症的只有2%～2.5%，且症状都很轻。就是说每100对怀孕的夫妇中，出现溶血症状的只是2～2.5对，比例是相当小的。

虽然这个比例很小，但不少人还是很紧张，不怕一万，就怕万一，她们生怕自己正好落在2.5%里面！常有O型血和Rh阴性的女性来询问关于如何应对胎婴儿溶血症的问题。

如何从容应对胎婴儿溶血症？我想，首先是要对胎婴儿溶血症做到心中有数！

前面提到出现母儿血型不合概率最大的是O型血和Rh阴性的女性，那么大家孕前一定要先搞清楚自己是什么血型，男方又是什么血型。**如果发现自己正好是O型，而男方是A型、B型或AB型；或者自己是Rh阴性，而老公是Rh阳性，那就要加强注意了。**

容易出现胎儿溶血症的女性，如果还不想怀孕，那就要做好防范措施，避免意外发生。如果怀孕了，就要知道自己体内是否出现了抗体，具体做法是在怀孕后的适当时间，去当地的中心血站或者有条件的医疗机构，测定孕妇体内存在的抗体效价，以评估抗体的严重程度。这个抗体效价测定检查称为“血不全抗体检查”。

所谓“适当”的时间到底是什么时候？医学资料表明，一般3个月的胎儿已有红细胞，而Rh抗体最早在受精后38天即可找到。所以第1次的测定时间，对于Rh阴性的女性来说是怀孕后的2个月，对于其他人来说可以等到怀孕后的3个月。过早或过晚去做抗体效价测定均不适宜，过早去做可能什么也测不到，太晚去做又会失去最佳治疗时机。

夫妇双方验血以后，如果医生不做解释，姐妹们可能不知道结果是好是坏。对于Rh不合的夫妇，抗D抗体及其滴度的效价大于或者等于1∶32（有人主张1∶16）时，说明病情严重，抗D者应查其他CcEe抗体。对于ABO不合的夫妇，测定孕妇血中对其丈夫红细胞的免疫抗A或抗B抗体及其滴度的效价大于或者等于1∶64时有意义，大于或者等于1∶512时表示病情可能较严重。

做了第1次血不全抗体检查以后，抗体效价即使在安全范围以内，也并不表示可以从此高枕无忧了。胎儿-母体间胎盘出血的机会与发生的严重程度，在妊娠期随着妊娠周数的增加而逐渐上升，在妊娠10周以前，出血量低于0.05毫升，12周以后可能上升到0.25毫升；由于胎儿-母体间血交换量增加，抗体也随之增加。而Rh致敏，多半发生在妊娠中期，而很少出现在妊娠早期，随着IgG量的增多，逐步导致胎儿贫血，严重时，胎儿会在妊娠20～24周时死于宫内。所以不全抗体检查应该动态监测，每1～2个月检查一次，最长也不能超过3个月，这是母儿血型不合的姐妹们必须牢记的一件事情!

随着医护水平的日益改善和提高，母儿血型不合溶血儿的死亡率已经大大降低。只要是去一个正规的医院，并且找到一位有责任心的医生，你就完全可以放心地托付给他们处理。

总体而言，母儿血型不合性溶血症的概率是很低的，Rh阴性的女性的第一胎一般是很安全的，而ABO血型不合的后果也不是很严重。血型不合的夫妇双方，要了解基本常识，不对溶血症掉以轻心，但也不必过分紧张，保持坦然的心态，无疑是最正确的态度!

9 走出怀孕误区，为自己减负（9）——同舟共济

为了缓解姐妹们的紧张情绪，我写了一系列的帖子，就是想让大家明白一个道理：怀孕，对女性来讲，是件非常自然的事情，要做到心情放松，没有必要急躁不安!

然而这些帖子所起的作用是有限的，因为最能减轻压力的阀门其实是在夫妻之间。在现实生活中，我们看到许多从坎坷的求孕路上亲密携手走过来的夫妻，也看到走至半路分手的一对一对。

双方之间，不论出现什么问题，只要感觉到对方的支持、理解和安慰，就会温暖满心头，而增加许多勇气。夫妻就像驾驶着同一只小舟的一对水手，要相互扶持，要同舟共济。为了避免在原地打转，甚至翻船，你们两人必须同心协力、步调一致、互相配合、互助支持、互相鼓励。只要这样做了，最终，就一定能将小舟驶向胜利的彼岸!

姐妹经验

“蛋挞的升级经验”

从去年开始有了要宝宝的想法，我开始戒烟酒，并减少可乐、咖啡等饮料的饮用，同时开始上摇篮网，后来跟着非非妈妈，在摇篮网和播种网两个地方学习。

今年1月份我和老公抱着试试看的想法同房了一次，结果当然是失败了，1月21日，例假如期而至。到了2月份，我已从非非妈妈那里购得了大卫的排卵试纸和早孕试纸，同时还到当代商场买了欧姆龙的体温计，开始了认真的基础体温测量和排卵试纸测试工作。

我每天早晨一醒就把体温计放在舌下，然后把测得的体温记录到本本上。每天下班一回家就测排卵试纸。测到排卵后，立刻与老公实施同房，隔天一次，共3次。排卵后继续测体温，怕自己黄体不足（我的月经周期不准，基本是30～36天，偶有拖后现象），然后就开始了幸福而痛苦的等待。满心以为这次这么用心，这么精准，肯定会好孕了，结果在体温持续了14天的高温后下降的当天来月经了！当时的心情真是无法形容，失落到了极点。我是做了双重措施的，体温监测和排卵监测同时进行的，准备得如此细致都没有成功，那肯定是自己有毛病或者是老公有问题了。

在此期间还有个小插曲。有一天我早早入睡，朦胧中听到有广播的声音，心里想这谁家看电视放这么大声音，这么早就把人吵醒了。不过既然醒了就测体温吧，我也没睁眼，摸到体温计，按开开关，直接放到嘴里。这时就听耳边有人问，你干什么呢？我猛然惊醒，发现老公居然没睡，坐在床上看电视呢！我当时就气呀！质问他为什么一晚上没睡觉！又熬夜！老公特无辜地说，你看现在才几点呀？我一看，原来刚夜里12点多！我立刻没了脾气，倒头又睡。后来此事被老公多次当成笑料告诉朋友，说我紧张到了极点。

此次来月经后，我认定自己有问题，于是到医院挂号，准备检查输卵管，结果到了医院被医生告知，只有一年未怀孕才给检查，而且如果要检查也要先让老公来，排除他的问题后才检查妻子。我立刻要求老公去检查，结果被骂了一通，老公坚决不去，并声称自己绝对没问题，结果我只好作罢。

这个月测基础体温和测排卵就没有上个月认真了，再加上有事，只在排卵期同房了两次。4月1日，月经如期而至。

为了要宝宝，我的体重直线上升，身边人都说我胖了，让我减肥。我一看怀孕也没希望了，就也不想太在意这件事了。我开始减肥，戒掉了晚饭，重新开始了游泳等活动。排卵试纸和体温计也不用了，全放在了一边。摇篮网和播种网也很少上了，因为越看越害怕，觉得所有的毛病自己都有。

在4月19日、21日晚上和24日早晨同房，不过都是凭感觉的，也没有测体温和排卵了。过后我也没在意，认为肯定也是没戏。我从4月26开始休假。因为要交论文，这个星期就闷在家里写论文，每天有时只吃一顿饭，然后就是忙碌的“五一”节。按35天周期算，我应该是5月5日来月经。我的月经有些特殊，每次来的前两三天都会有咖啡色的分泌物出现。可是这次到了5月3日还没有，我就有些起疑了。5月3日晚上测体温，还挺高，37.1℃。5月4日早晨，我就用仅剩的一张从非非妈妈那儿买的早孕试纸测了一下，结果出现了一条浅到极点的测试线。说有就有，说没有就没有。让老公看，他也说好像是没有。于是我又和朋友出去吃火锅了。晚上回家后，老公拉着我又去买了两种不同牌子的试纸，一个是立秀，一个是万达。5月5日早晨，用立秀测试，一会就出现了极清晰的弱阳线。老公和我都非常高兴，但还是有点怀疑。因为以前那么上心都没成功，这次没当回事却成功了！？于是5月7日早晨再测，那条弱阳线更清楚了，这次我们比较确定是怀上了。老公赶紧拉着我去买防辐射服，还说要给我换CDMA手机，呵呵，有点晕了。

昨天我去了空军总医院，再次做了检查。看到医生在检查单上重重地写上“阳性”，我心里的石头终于落了地。天呀！我真的要当妈妈了！真是幸福呀!

我总结的经验就是，同房这件事，是个快乐的事情，不要总想着为了要宝宝而去做。而且平时也要放松心情，不要太刻意去做每件事情，稍稍注意就可以了。心情过于紧张，反而会影响内分泌等因素，宝宝倒不会来了。

所以我祝所有摇篮网和播种网的未准姐妹们，好好努力，放松心情，早日升级！爱你们!

“新年和生日的最好礼物——木耳的升级报告”

刚到单位里，本想先干一会再写升级报告，可是感觉实在等不及了，还是先写吧，希望领导不要扣我奖金。

先说说我和老公的故事吧，姐妹们不要嫌烦啊。我们是大学的同班同学，1997年毕业后我回到了我家乡所在的城市，他回到了他的城市，不过还好不算太远，坐公共汽车需两个小时。2001年我们领了证，随后就一直保持着两地分居的状态，他和我的工作都比较忙，其结果是平均一个月都见不了一次，我当时想的是等我们调到一起的时候再要孩子吧。

日子一天天地过去了，转眼就到了2004年，调动的问题一直没音讯，看着朋友们一个个都有了宝宝，老人们也开始着急了，正好我和老公一起读的进修课程也读完了，我们就决定还是先要了宝宝再说。于是我们就经历了与大多数姐妹同样的过程，从一无所知到播种网上学知识，然后从非非妈妈那儿邮购了试纸，开始试孕。可是从满怀希望至灰心失望，一次又一次的失败，一次又一次的打击。

2004年10月底，突然老公那个城市有个单位让我马上去报到，虽然不如我本来的单位效益好，路又远，可是为了天天能和老公在一起，更重要的是为了要宝宝，我选择了告别爸妈、同事和朋友来到了老公所在的城市。

11月份我认真地测了排卵试纸，在强阳时隔天同房，没想到月经还是来了，我失望到极点，和老公商量去检查。我们还为了这事第一次争了起来，老公说我一点不成熟，急吼吼。我气坏了，最后达成协议再等一个月后，不行再去检查。

12月上旬的一个星期天，我们和公公婆婆一起去西山玩，很开心。在公园的庙宇里，我和老公恭敬地作了祈祷（虽然我和老公都没有宗教信仰）。因为玩得太累了，回家后我和老公都感冒了，而且都吃了感冒药，要命的是那会儿正是排卵期，我想这次就放弃吧，所以什么都没测，凭兴趣同房了几次，我现在还不知道是哪一次成功的。

元旦那天，我无心地用早孕试纸测后就去晾衣服了，才晾了两件（大约过了3分钟），我又回到卫生间，竟然很清楚地看到了粉红色，我不敢相信，马上把老公从被窝里拖出来，他睡眼蒙眬地看了半天说肯定有两条，我又兴奋又紧张。第2天6点就起床又测了一次，同样很快就出现了两条红线。我马上去了医院，检尿的医生漫不经心地拿出了试纸一看，在检测单上划了一个+号，我万分激动地问什么意思，他极不耐烦地蹦了一个字：阳。我抑制不住地问妇科医生真的能确定吗，还是验个血吧。医生极不耐烦地说："就是有了嘛，不用验血，这我还不知道嘛，十天后来检查是否宫外孕。"哈哈，我兴奋得找不到北了！

虽然还是有点不敢相信这次真的怀孕了，但是还是要写一些经验给各位姐妹：

- **不必太在意到底是哪天排卵。**经过几个月的测试，大约已知道了排卵时间（前后一个星期），在这段时间里多同房。记得以前有个帖子写的：小人儿不是算出来的，是爱出来的。
- **不必太坚持地测体温。**也许是我太懒了，只测了一个月就坚持不下去了。
- **不必太在意早孕反应。**前几天我还发了个帖子问早孕反应的问题，其实我这个月的反应前几个月都有，所以不必太在意。

◆ **放松。** 别想着怀孕的事，越想着越不容易，这个月因为感冒了，感觉没戏了反而怀孕了。

◆ **给两地分居的姐妹们祝福。** 希望你们早日怀孕，如果可能的话尽量结束分居生活，要个宝宝是非常重要的，工作可以在生完宝宝后再努力。

谢谢许许多多的姐妹给我的祝福，我也同样祝福你们早日怀孕，愿望早日成真！

“试孕第3个月我终于成功升级了”

秉承播种网的老传统，我也该上交好孕报告了，此时的心情万分激动！

就来说说我的好孕经过吧，希望给有过类似经历的姐妹们一些参考和信心！

这个宝宝应该是我们的第3个了，想想很内疚，很后悔，头胎还是跟老公热恋时，年轻不经世事，偷尝的禁果，只能不要了，那是在2002年的初夏。第2个很可惜的，就是去年10月份，因为有了前次的教训后来就一直口服避孕药，到2005年3月打算不再吃了，准备恢复1年后要个猪宝宝。没料到周期还没完全正常的我9月居然就有了，因为估计是因为周期不准造成了怀孕的假象，我没在意，去海边吃了不少水产，结果过敏外加重感冒，狂吃了一阵子的抗生素后才发现已经怀孕40天了，万般思想斗争后只能眼睁睁地看着小生命再次离去……

我是用药物流产的，之后出现了许多症状。想想都可怕，药物流产的确很伤身体，虽说我流得还很干净，但还是断续出血（后来是深咖啡色的分泌物），月经迟迟不来，简直折腾死了。后来又吃又注射了黄体酮才勉强人工调整回来了周期，但是意外的情况又出现了，经量变少而且有溢乳现象！要知道溢乳可能会造成不孕的呀！

转眼就到了2006年2月，我和老公都很着急。我因为这种种症状到处咨询，多亏一个好朋友告诉了我播种网，让我在这里找到了归属，更是学到了好多的知识！我也买来排卵试纸，看看到底自己是不是还能够正常排卵，这是首要问题哦。还好，3月份试纸显示排卵基本正常，这下我才放心许多。于是我们在4月正式启动试孕计划！

4月份排卵状况相当好，于是按照网上介绍的方法，在阳变弱时同房，然后隔天再同房，之后就是等待，结果却是5月3日“红军”按时来了。那时，心里没在意，因为非非妈妈说过1个月就成功的概率才20%不到，于是耐心地等待5月的排卵期。说是耐心其实可惦记了，好不容易到了预计的排卵日却测不到排卵迹象，过了好几天才测到几乎接近的第二条线，于是努力地同房。这次，在排卵刚过我就感觉乳头有明显的触痛感，我想，这回该差不多了吧（因为去年怀上时我就是有明显的乳头触痛）。等啊等，日子过得太慢了，简直是种煎熬！看着同期的姐妹们一个个升级，心里又急又怕！终于“红军”还是在6月6日如期而至。

因为溢乳还有，我就赶着经期的第3天去化验激素水平，结果都是在正常值内，一颗悬着的心稍安了些。

忘了说一个关键的问题，自上次药流后，我的月经周期比原来的长了。在网上得知天然大豆异黄酮是用来调节周期的，许多姐妹都说效果很明显，我也订购了一些。大概是月经结束后的几天吧，我收到盼望已久的大豆异黄酮，开始早晚各服一粒。一进入6月，工作特别忙，简直没有闲着的时候，还加夜班，总之忙得无暇顾及别的了。离预计的排卵期还有3～4天吧，我感觉好像分泌物多了，去卫生间时发现了久违的透明的白带，虽然量少而且拉丝不是很长，但这是马上快排卵的迹象。果然，当晚排卵试纸即显示了明显的阳线（这天然雌激素补充素可真是神啊）。虽说测到阳了，但我和老公因前两个月的失败教训，这次没有马上同房，而是继续观察排卵状态。嗯，没错，正如非非妈妈所说那样，我的排卵高峰是突然出现的（6月21日晚上），6月22日早上还是阳，22日晚上是更明显的阳，这时我们才同房，到23日早上再测时已经是差不多阴了，看来已经排出来（应该是夜里）。我们都为这次的努力及时感到高兴。当然，补课也很重要，接下来23、24日晚上都有补课呢。

这里强调一下：我是子宫后位，前两个月，都没有将臀部垫高，而且同房完了老公出来得快了点，精液就流出来好多呢。所以，这次首先让老公慢慢出来后，把双脚竖立在墙上，在臀部下垫上垫子，这样的姿势保持了15～20分钟吧，精液几乎一点都没有流出来。

之后的日子我还是忙，频繁地出差，只是心情自然放松了许多。差不多到排卵后的第9天，我无聊地用早孕测纸测了一下，太早嘛，就是阴性。又过两天，排卵后的第11天吧，下班后用排卵试纸再测，刚开始显示没中，失望中，但大约过了5分钟吧，那传说中的“中队长”就出现了，虽然很淡，可是的确有呀！心里暗喜。接下来的几天，每天下班回家第一件事就是用试纸测，看着“中队长”越来越明显，早孕测纸也渐渐明显了，但此时还不到“红军”该来的日子，还要等。终于7月6日“红军”没来排卵试纸已变为强阳，早孕测纸也由弱弱阳变为弱阳了。天哪，我真的成功升级了啊！

经验总结：

◆ **放松心情**。看了我的经过，姐妹们都知道了心情过于紧张真的会影响排卵，所以要尽量放松心情，我知道这不容易，但是必须要尽量调控。

◆ **掌握同房的时间和方法**。排卵的高峰出现了就说明差不多了，当然如果你已经知道你的高峰会出现多久就能更好地把握时机，太早或过晚都不行的，卵子与精子的相遇只有短短的时间。一定要知道自己身体的状况，当然不能把所有的毛病都往自己身上套，要学会分析。

◆ **注意同房的姿势**。子宫后位的姐妹一定要在臀部下垫垫子，还有让老公慢些来，不要浪费“弹药”哦。

差不多吧，就这么多可以说的，希望对继续努力中的姐妹有帮助吧！真的很感谢播种网，感谢非非妈妈和许多关心帮我答疑解惑的姐妹！

最后，祈祷我的宝宝能够健康顺利地发育！祝愿所有姐妹都能早日好孕！

“知己知彼，百战百胜”
——了解自己的身体状况，好孕其实很简单

作家池莉在书中写道：“世上有一种爱最没道理可讲，这便是母爱。……凭任何语言都无法描述还原，也许是因它没有道理，也许因它就是道理本身。”我读着这本书的时候，宝宝已在腹中5个月了。还记得第一次孕检时，他用小火车般的胎心音和小虾跳一样的胎动彻底俘获了我的灵魂，就像一朵嫩蕊在我的体内神秘绽放。

十月怀胎，有瞬息万变的感受。

2009年9月首次备孕，知识匮乏。自认为子宫前屈，经期规律的我应该不难好孕，却不知什么原因，在怀孕20天时有少量出血，且经过一场高烧后，我们失去了腹中的宝宝。我和老公都好难过。保胎丸、黄体酮注射、卧床都已回天乏术，只好选择无痛人流并严遵医嘱。医生说半年的恢复期后才能有一个健康的体质试孕。后来我听到一些传言说，头胎保不住以后可能造成习惯流产。备感压力、极度压抑时，我下意识地强迫自己要有自信，我一定能够升级成为妈妈。重整头绪，我认为应该找到适合我个人体质的方法，并且要非常重视前3个月的身体状况，不能受累。“机会是给有准备的人”这句话没错，不记得是通过什么方式发现了播种网，可爱形象的域名很吸引我，各类孕育知识，坛子里的未准妈、准妈、妈妈们的互相交流，让我从旁观者潜水学习关于孕前、孕中的知识到后来的参与者，受益良多……

2010年7月，做好一切准备，观察和计算好规律的PL期。我是通过经期后出现透明BD确定PL的，我终于鼓起勇气再次试孕，我的生理周期是24天左右，因为是子宫前屈，容易受孕，所以不需刻意在意体位。找准PL期后开始行动，1周后RF就有刺痛和胀痛感，小腹时有YJ前的隐痛，我幻想着这是

宝宝着床的滋味。接着很小心地度过2周，避免下蹲，杜绝一切体力活动，放松心情，备好蓝梦孕知试纸，15天就测到淡红色水印！发现宝宝的踪迹时我很淡定，因为了解了自己的身体状况，一切都会在把握之中，但仍无法控制喜悦的心情，将这个超好超妙的消息马上和老公分享。于是就有了文章开头写的那样的感觉。我写这些心得是想告诉姐妹们：不管你们是什么状况，要从烦恼中走出来，正确面对实际情况，要怀孕，不要压力！

经验总结：

- **备孕期就服用0.4毫克叶酸，预防神经管畸形。**妈妈注意饮食健康平衡，避免腹泻的任何可能。爸爸戒烟戒酒。
- **经期规律的姐妹找准排卵期更容易受孕。**推算排卵期需要先算出下次月经的时间，然后向前推12~16天；或者根据宫颈粘液的变化直观地判断，即黏液变的清亮、有弹性，像蛋清状。
- **AA姿势根据自己子宫位置决定，前位就很随意啦。**
- **AA过后需要仰卧位，最好选在晚上睡前，让爸爸的XY和妈妈的XX有更多的时间充分接触。**
- **抛开怀疑，甩开压力，怀孕是人生正常的过程，别人可以，我也可以。**宝宝已经出生5个月了，现在我仍在播种的“小宝宝”论坛里潜心学习，由衷感谢播种网帮我解答孕产婴每个过程的诸多疑问，也非常感谢非非妈妈提供这样的平台让我能写下好孕故事，给备孕的姐妹们一些参考和信心。愿天下所有的宝宝健康平安！

CHAPTER

第4章 非妈助孕法 2 老公必读之改善精子的质量和数量

姐妹们，你们知道世界卫生组织所制定的精液正常的标准吗？

· 液化时间，室温下，60分钟以内颜色为均匀的灰白色；

· 精液量2.0毫升或更多；

· pH值7.2～8.0；

· 精子密度≥20×10^6/毫升；

· 精子活动力射精后60分钟内，50%或更多具有前向运动（即A级和B级），或25%或更多具有快速前向运动（A级）；

· 精子形态正常≥15%。

精子异常的分类：

· 少精子症　　精子密度低于20×10^6/毫升

· 弱精子症　　（A+B）精子低于50%

· 畸精子症　　精子正常形态小于15%

· 少、弱、畸精子症　　三种均明显异常

· 无精子症　　所射精液中无精子

· 无精液症　　不射精

你了解精子的秉性吗

精子是怀孕的重要因素，所以我们对它的特点要有充分的认识。

◎ 精子产生的时间很长，从产生到成熟需要90天。

◎ 一年365天，时刻有精子产生。

◎ 精子不耐高温，在高温下会死亡。

◎ 如果精子长期不用，积累的精子会老化、死亡。

◎ 精子喜欢碱性环境，不耐酸。

◎ 精子的有效授精时间是48小时左右。

◎ 精子有尾巴，靠尾巴摆动前进。

知道了这些特征，我们就知道应该怎么做了！为了怀孕，生个健康聪明的宝宝，我们就应该要求老公：

◎ 提前3个月戒烟、戒酒。

◎ 只要营养足够，老公一天一次射精也是可以的。

◎ 不能洗桑拿浴。

◎ 不能长期节欲，成熟超过7天的精子会大量死亡，长期分居的夫妇第一次同房是没用的。

◎ 多给老公吃些碱性食品。

◎ 当前吃的药，即使有影响也是以后的事，因为目前使用的精子是3个月前就产生了的。

◎ 在同房时，应该充分兴奋，液体多了，精子的前进会更顺利。

2 精子产生的条件很苛刻

精子很小，但是它的产生条件很苛刻。

◎ 需要足够的营养。精原细胞分裂演变成精子需要大量的营养物质，特别是号称人体“建筑材料”的蛋白质。

◎ 需要低温环境。精子的成长要求阴囊内的温度比体温最少低1℃，而睾丸里的温度比体温要低0.5～1℃，否则精子的生长就会终止，例如，一次高热会死掉很多精子。

◎ 需要一定的时间。精子从产生到成熟需要3个月的时间。

鉴于上述的条件，男士们首先要保证每天进食足够的食物，保证营养，其次是要保证让阴囊处于较低的温度中。这里要强调一点，准备要孩子的男士，千万不要去洗桑拿浴。桑拿浴的温度要比体温高出许多，长时间让阴囊处于高温环境下，会直接杀死精子，而导致不育。

3 不要人为地阻止精子们自由竞争

做一个试验：让两个孩子从滑梯上滑下来，一个孩子是健康的，另一个孩子双腿有病，结果他们到达地面的时间完全一样。如果反过来，让他们从下面往上爬，那么最先到达顶端的肯定是那个健康的孩子。

精子也是这样，如果让精液从上往下流，在流到下面的精液里面，既有健康的精子，也有畸形的精子。如果反过来，考察精子的爬高能力，那么肯定是健康的精子胜出，因为只有形态很好、很有活力的精子才能爬到高处。

为了提高受孕率，我一般会建议姐妹们在同房后在臀下垫2个枕头，使

身体有个倾斜度，也使精液比较容易地流入子宫，但我不提倡整个人倒立过来，而且要控制倾斜的时间不超过30分钟。为什么这么做，原因就在给精子创造一定条件的同时，要让它们充分自由竞争，让真正有活力的精子在竞争中脱颖而出，与卵子结合。

4 精液液化是怎么回事

精液刚射出体外时呈灰白色或略带黄色，相当黏稠，因受精囊分泌的凝固酶作用，很快凝成胶冻状，继而又因前列腺分泌的纤维蛋白溶解酶的作用，在5～30分钟内变成黏度不同的液体，这个过程称为精液液化。

精液液化可以发生在体外或者女性生殖道内，在体外，液化时间更快些，一般在射精5分钟左右即可实现。

精液液化是精液转化的重要过程。当精液处于凝固状态时，里面的精子静止不动，而一旦液化，精子就可以在液化的环境中获得自由运动的功能，以便在子宫颈、子宫、输卵管内运行，最终与卵子结合形成受精卵。

5 精液液化不良——男性不育的常见问题

如果精液在射出30分钟后仍然不液化或液化不全，则称精液液化不良，这会阻碍精子的正常活动。

精液液化不良主要与前列腺分泌的纤维蛋白溶解酶不足有关。这种情况主要见于前列腺和精囊的炎症疾病，而在临床上前列腺炎和精囊炎又往往并存。炎症的本身不仅可使酶的合成和分泌减少，而且炎症的病理过程对已分泌的酶也有破坏和使之失活的作用，导致精液液化酶系统的失调，造成精液液化不良。

精液液化不良不仅会影响精子的活力和寿命，而且也不利于精子从阴道向子宫的上行输送，从而导致男性不育。

6 自己就能做——让精液液化的方法

世界卫生组织（WHO）在1999年制定的精液分析标准中规定，精液液化时间在室温状态下不能大于60分钟。国内有些医院把这个时间定得更短，规定在室温状态下不能大于30分钟。这主要是因为精液液化时间会影响卵子受精的概率。你想，精子长时间在精液中动弹不得，不能马上发起进攻，又处在女性阴道酸性环境中，真是要命得很。不少夫妇试孕了很长时间而不能好孕，就是因为这个原因。

促进精液液化的主要是一种酶，由前列腺分泌，90%的精液不液化是由急慢性前列腺炎症引起的。如果你发现老公有精液不液化现象，应该立即到正规医院检查后做针对性的抗炎治疗。不过，前列腺炎或者其他炎症常常并不能够一下子根治，而夫妇双方心里又很着急，这时就可以试试自己用人工手段促使精液液化。

具体的操作方法是：将5毫克糜蛋白酶和1毫升生理盐水混合，于性交射精后注入阴道深部，并抬高臀部，以防流出。当然，如果买到现成的糜蛋白酶栓剂，也可以试用。

这个方法已经帮助了不少夫妇成功受孕，有类似问题的姐妹可以试试。

7 相遇前的等待有多久——精子和卵子的结合时间

姐妹们经常问我一个问题：在同房以后，精子到底要经过多长时间才能和卵子结合，进而使卵子受精。

这个问题很难回答，因为每个男人产生的精子活力有强有弱，液化时间有长有短，即使同一个人，这个时期产生的精子与另一时期产生的精子也有很大不同，再说，每位女性的生殖道的情况也很不一样，所以没有一个统一不变的时间。

同房30分钟后，精子即进入输卵管，这是不是最高纪录尚不能肯定，但至少在我看过的医学专著中，这个是最快的速度了。

要创造这样高的速度，必须具备几个条件：

◎ 很高的精液整体质量

精液由精子和精浆组成。不少人认为只要精子的质量好、活力A级+B级大于50%就OK了，至于精浆的好坏无关紧要。我认为这种看法不够全面，精子的活力固然重要，而精浆的作用也不容忽视！

精液就像一支军队，精子是冲锋陷阵的战士，精浆是保障有力的后勤支持。精浆的首要任务是保护精子免受女性阴道酸性环境的伤害，接着精浆中的蛋白水解酶促使胶冻着的精液解冻（也称为精液液化），让精液中的精子解除束缚，活动起来发起冲击，精浆中的果糖则提供精子冲击所需要的能量。精浆中存在的精液胞浆素是一种具有独特功能的蛋白质，起到类似青霉素的杀菌作用，能杀死女性阴道内的葡萄球菌和链球菌，为精子扫清前进道路上的障碍。而精浆中的前列腺素更是起到了一个极其重要的作用——让整个过程兴奋起来！

◎ 女性为精子运动创造良好的环境

有了高的精液整体质量，只是具备了精子“冲刺”的条件，不能保证精子一定能够快速前进，接下来还必须依赖女性为精子运动创造的条件。

子宫颈是精子在女性生殖道内要通过的第一个关口。在每个月经周期中，子宫颈分泌物有很大变化，接近排卵期时，分泌物明显增多，宫颈黏液变得很稀薄，这时就为精子提供了最优越的生存、运动与储存条件。

有生命力的精子在通过子宫颈以后，进入了子宫腔，这是一段十分艰苦的旅程，仿佛是长征途中的爬雪山、过草地，精子会大量被白细胞吞食、死亡，实验证明，仅凭借精子自身的活动能力，只能到达宫颈内口，并不能快速通过子宫宫腔。这时候，需要借助子宫的收缩，在子宫收缩以后再松弛的一刹那，会造成很大的负压，把精子吸入宫腔。而造成子宫强烈的收缩，有两个条件，一是处于性兴奋状态下，二是前列腺分泌大量前列腺素。男性精液中的前列腺素，是提高性交过程兴奋程度和帮助精子快速通过子宫腔的重要因素。

现在大家应该明白了，为什么夫妻两人在一起变成例行公事或者男性有了前列腺炎症的情况下，怀孕会困难许多。我建议大家为了顺利怀孕，还是应该创造一个温馨浪漫的气氛，保持情绪兴奋，使内分泌处于最佳状态。

8 如何避免产生抗精子抗体

抗精子抗体是很复杂的，男女双方都会有。女性的生殖道，特别是子宫体内的巨噬细胞，会把精子当作“异物”进行吞噬，对精子、精液这一抗原进行“自卫”，“一家人不认识一家人”，引起免疫系统产生抗体；而在男性，则是自身产生“自卫”，引起自己的免疫系统产生抗体，导致“自相残杀”，使精子难以生存。

抗精子抗体呈阳性的女性，发病之前一般有过子宫内膜炎、阴道炎、输卵管炎等炎症，这通常是因为在经期、产后出血没有干净或生殖器官异常出血时性交而造成的。在未理想状态下同房，精子、精液很容易与女性的血液接触，进而“激发”女性免疫系统产生抗体。精子对女性机体来说是陌生的，严肃而认真的机体免疫系统，一旦清查到“不速之客”，便刺激该系统产生识别信息，之后再遇到精子便与其“不共戴天”。精子一旦进入宫颈口，女性免疫系统马上进行干扰，吞噬细胞立即辨认出“异物”，吞噬作用加强，并向异物移行，最终将其吞噬，使一部分精子进入“虎口”；没有被吞噬的精子被制动，失去正常的活力，造成大批“阵亡”，大多没有机会到达输卵管完成“生命之吻”，致使卵子空等一场。即使有机会成孕，受精卵或是抱病在身，或是元气已伤，极易发生萎缩或在胚胎期死亡，导致自然流产。

男性在正常情况下，睾丸和男性生殖道都有坚固的免疫屏障，精子与自身机体的免疫系统不可能接触，故极少发生免疫反应。但是，如果精子越过了屏障，与自身的免疫系统“交过火”，那么就会产生抗体。这种情况同样是由疾病引起的，如输精管道炎症或其他原因阻塞致使精子外溢“出境”，就可能导致精子这一抗原与机体免疫系统接触，自身产生抗体，从而使精子凝集、制动，失去应有的活力，难以完成与卵子结合的历史使命。

为了避免产生抗精子抗体，预防是极其重要的，具体而言要做到以下几点。

◎ 提倡性文明，不在女性月经期进行性生活。
◎ 凡是女性生殖器官有出血倾向时，均不可以进行性生活。
◎ 当女性生殖器官出现慢性炎症状态时，性生活要谨慎，最好使用避孕套。
◎ 男性在感到自己生殖道有炎症时，应尽量减少乃至禁止性生活，防止精子“出境”，导致疾病。

番茄红素，增加精子数量、提高精子活力的宝贝

对于不孕的夫妻，我们总是提醒姐妹们在注意自身原因的同时，也要注

意调理你老公的身体。老公的身体好了，怀孕就容易了许多！

那用什么来调理老公的身体？可以试试番茄红素。

首先发现番茄红素和精子数量有关系的是印度科学家，他们发现不育症男性的体内番茄红素的含量偏低；继续进行的试验又发现番茄红素除了和精子数量有关以外，还和精子的形态以及活力有关。

这些接受试验的男性年龄介乎23岁至45岁之间，存在的问题是长期不育。参加测试者每天服用两次番茄红素，每次2毫克，服用番茄红素3个月之后，精子的数量和活力均有了明显的改善，其中，73%的人精子活力提高了，63%的人精子改进了形态。

效果不能说不明显，但是也不是100%有效，没有效果的27%的人群肯定还存在其他的原因。**好在吃番茄红素没有什么副作用，由于它具有强的抗氧化性和抗辐射、清除自由基的作用，因此对男性而言可预防前列腺疾病，对女性而言可预防乳腺增生和卵巢囊肿，还能治疗和预防某些癌症。**因此，可以说番茄红素是一种男女都很适用的保健食品！

10 叶酸，男性也需要补充

一直以来，我们强调了女性在孕前和孕后要补充叶酸，尤其是北方女性，更应该特别注意补充，因为那里是新生儿神经管畸形的高发地区。

服用叶酸能够大大减少神经管畸形的出生率，同时叶酸还具有抗贫血的功能，有利于提高胎儿的智力，所以叶酸关系着宝宝的健康！

但是单单强调未准妈妈补充叶酸，并不全面。根据美国加州大学的观点，孕前阶段男方也必须服用，叶酸本身是人体必需的营养素，并不只是女性才需要。

精子质量的提高牵涉多种维生素，叶酸也是其中之一，当它在男性体内呈现不足时，会出现精液的浓度不足，精子活动能力下降的现象。另外，叶酸还参与了体内遗传物质DNA和RNA的合成，更是参与了精子的核心机密层——遗传信息的形成。

所以，对男性而言，在孕前补充叶酸也是很重要的!

11 天然维生素E，提高男性精液质量的法宝

医药上的许多实验一开始都是在动物身上进行的，所以我讲天然维生素E和男性的精液质量，就从在动物身上取得的数据开始。

数据是这样的：如果缺乏维生素E，首先雄性动物睾丸会变性萎缩，精子运动异常，甚至不能产生精子。当雄性动物每天没有专门补充维生素E，测定其射精量是95.3，平均精子密度为215；当补充维生素E至每公斤日粮40毫克时，其射精量增加到150.5，平均精子密度为335；当维生素E提高到每公斤日粮80毫克时，其射精量增加到178.7，平均精子密度提高到339。

数据很清楚地说明了，**随着维生素E摄取量的增加，精子的数量有很大的提高!**

不少夫妇双方长期不孕，其原因是男方精液质量不佳。而如何提高精液质量，真是伤透了脑筋。虽然大家可以采取一些中西医治疗方法来解决，然而在日常生活中，我建议不妨补充天然维生素E。前面的数据很好地说明了维生素E对增加精子数量有很大的帮助，同时我想再补充说明一点，由于维生素E直接存在于精子而并非精浆中，故而直接保护了精子免受氧化所造成的形态损伤，对保护精细胞的正常形态和活力起到了很重要的作用，直接提高了精子的成活率，降低了精子的畸形率。

一句话，天然维生素E可以整体提高精液的质量，男性朋友不可或缺!

12 女性常用激素类药品，也可有效改善男性精子

克罗米芬、人绒毛膜促性腺激素，这些似乎是女性专用的药品，常用于女性诱导排卵。大家一定很少知道，它们还可以用于治疗男性精子过少!

当男性每次射精少于1毫升，或者每毫升精子数量少于2000万个，想使妻子怀孕是很困难的，这种情况下，姐妹们首先想到的是中成药调理，例如六味地黄丸、桂附地黄丸等。那么西医使用什么药物来调理呢？其实就是女性常用的激素类药品，像克罗米芬、人绒毛膜促性腺激素、维生素E等，这些药品主要作用于男性下丘脑，促进男性促性腺激素的释放，使睾丸制造精子的功能旺盛，于是精子的数量增加，活力加强了。

看来，许多药品是男性和女性可以共用的。

姐妹经验

“嫣然一笑的升级报告（特别给老公精子不大好的姐妹）”

今天上医院验血了，确定好孕，好激动啊！迫不及待地奉上我的升级报告，以此强烈感谢非非妈妈的帮助和一起走过的姐妹们的祝福，并纪念我历经酸甜苦辣的未准岁月，同时也给未准姐妹一点鼓励，一点祝福！

我是1976年的龙姐姐，老公是1972年的鼠哥哥，我们1996年相恋，2002年初结婚。以下我分几个阶段分别叙述，超长，需要姐妹们一点耐心哦。

一、不懂事的流产经历

◆ 第一次流产

2000年毕业来到北京和老公相聚，2001年初不小心怀孕，我却毫无感觉，因为我的月经周期从来不准，30～40天，而且在该来月经的时候还来了，虽然颜色发乌，量很少，且只有3天（现在才知道是“下班现象”），所以从未怀疑是怀孕了。在吐得天翻地覆的时候还以为得了急性胃炎（汗啊！），吃了好多胃药不管用，两个傻瓜就找到一个在医院工作的朋友，做了钡餐，发现啥问题没有，疑惑中朋友提示是不是怀孕了，一查，超强阳，怀孕50多天了。天啊，由于吃了好多孕妇禁用的药，更要命地是做了钡餐（射线），犹豫中还是做了人工流产，医生不无可惜地说“头胎啊，你看心跳得多好，长得多好啊”。可想想一辈子只能要一个宝宝，我们不敢冒险，再加上当时刚参加工作，还没结婚，觉得有点不好意思，只好做了。

印象中，头一天还吐得翻江倒海，手术当天，却一点反应都没有了。我和老公说，看来宝宝也知道了他的命运，所以也不闹了，他一定非常恨我这么狠心。我的心好难过好难过，一辈子都忘不了那次人工流产，痛得我几乎死去一般，真佩服有些人做完就直接自己回家了，我可是在病床上整整躺了两个小时才缓过气来，把我老公吓死了，他说我当时完全虚脱，嘴唇灰白……

一周后干净了，休息了10天，觉得恢复很好，可之后两个月才来月经，可不得了，半个月还不干净，而且越来越多，一连几天晚上几乎血崩一样，一大堆血块山洪暴发般下来。那几天我走路都轻飘飘了，没办法又上医院做了清宫。

忠告：各位姐妹，一定要慎重对待第一次怀孕，如果不是万不得已，一定不要随便抛弃宝宝，那是一条生命，如果以后怎么都怀不上，那将是你永远的后悔。

◆ 第二次流产

2004年，我们准备要宝宝了（当时我还是什么都不懂，什么排卵期，什么叶酸，都不知道），准备6月份要，但在4月份时没带避孕套随便同房了一次，怀孕了，只是自己还傻乎乎的不知道，“五一”假期还和老公跟团跑到华东六市痛痛快快玩了一圈，回北京后突然想到那个好久没来了啊，赶紧买来试纸，天，强阳！

晕！但是我们还是以最饱满的热情迎接了他（她）的到来，我听说前3个月是危险期，还特意请了两个月的假在家休息。就在7月8号，我去建档并准备回公司上班时，却悲哀地发现停育了，医生说只有50多天的样子，没有胎心、胎芽，诊断为稽留流产。

我当时感觉天塌下来了，我从B超室出来就抱着老公无声地哭了好久（医院人太多），老公也流眼泪了。这次手术倒还顺利，药物流产，挺干净的，没有清宫。出院时医生嘱咐：修养8个月后再要孩子。

忠告：姐妹们，流产后的第二次怀孕一定要注意第一次流产的日子，据说子宫是有记忆的，它会报复不善待第一个宝宝的人。

二、本次怀孕经历

我们严格按照医生的指示，到了今年3月，我开始吃福施福（我小姨是妇产科医生，她自己就吃福施福，生下来的表弟那叫一个聪明伶俐），准备从4月份开始试孕，基础体温、拉丝和排卵试纸三管齐下。以下是每个月的经历。

4月：开始量基础体温，按照大致推算的排卵期同房，然后飞往广州出差12天，回北京后的第3天月经如期而至，当时心里有点疑惑，怎么上次才一次没用避孕套就中招呢。

5月：经朋友介绍上了播种网，啊，真是大开眼界，知道了好多新鲜名词，于是迫不及待注册了，开始潜心学习，并买来排卵试纸，早孕试纸。开始用排卵试纸测啊测，被老公嘲笑，说我专注的样子像在做化学试验。可是我居然一连10天都只测到很微弱的阳，20根试纸转眼只剩1根了，我想我可能属于对试纸不敏感吧。本着“宁可错杀一千也不可放过一个”的原则，和老公同房无数。奇迹出现了，居然用最后一根试纸出现了强阳！记得我当时真是激动极了。一连10天同房，老公说他都快要精尽人亡了。之后满怀信心等待，那个月体温也出奇得好，可是6月5日，月经还是如期而至。这个月排卵推迟12天，彻底晕！总结失败原因为同房太多，精子数量不够。

6月：有个5月开始试孕的朋友怀孕了，我有点着急了，开始怀疑自己有毛病，而且3个月来体温忽好忽坏的，有点爬坡，担心自己黄体不足，又因为周期长，开始买了豆浆机自制豆浆喝，要知道我还真不大喜欢喝豆浆啊。喝豆浆感觉身体还不错，周期开始稳定在31天左右了，白带拉丝也更明显，6月21日，排卵强阳，但从10～21日，中间只隔了3天没同房（脸红ing），7月6日，月经又不请自来，呜呜呜。总结失败原因，还是同房太多，精子数量不够。

7月：又一个好友怀孕了，强烈不自信，开始求医。做了常规检查，子宫前位，白带好，一切正常，老公精液常规却不好，只有4500万/毫升，开始让老公吃六味地黄丸。21日强阳，22日变弱，分别于20、22和23日同房，知道老公不能再像以前一样“狂轰滥炸”，要惜弹如金啊（精液量极少）。8月4日用快速秀试盒测到清晰弱阳，5日用普通试纸测到弱弱弱阳，6日却什么也没有了，8月8日来月经，当天肚子很疼，是以前没有过的（我不痛经），血量比较少，而且颜色发黑。大哭一场，诈胡了！

8月：8月8日末次月经，觉得豆浆太麻烦，向非非妈妈购买了大豆异黄酮，开始吃，感觉是阴道湿润期长，且提前。8月10日去北京大学第三附属医院查激素6项，正常，但自己感觉E2稍低，非非妈妈说正常，老公精液量狂少，禁欲5天结果：不到1毫升，晕！但其他指标不错，10分钟液化，A级34%，B级33%。9月9日北京大学第三附属医院（高体温第7天）验孕激素：65，E2：684，数值不错，但老公的结果却令我倒吸一口凉气，禁欲6天结果：不液化，1毫升，A级3.4%，B级14%，狂晕！一个月之内反差如此之大？我不信！所以医生开的1000多元的药我没要，准备过几天去海淀妇幼保健院再查。但是就在2天后，我居然用早孕试纸测出弱弱弱阳！以下是详细过程

8月2日，白带拉丝短，体温36.2℃，排卵弱弱弱阳；

8月22日，白带拉丝短，体温36.2℃，排卵弱弱阳，同房；

8月23日，白带拉丝短，体温36.3℃，排卵弱阳；

8月24日，白带拉丝短，体温36.2℃，排卵弱阳，同房；

8月25～29日，感冒发烧，排卵弱阳；

8月30日，排卵强阳，白带拉丝很长；

8月31日，排卵强阳，白带丝很长，同房（分段射精法，抬高臀部1小时）；

9月1日，排卵弱阳，体温36.4℃，拉丝很长，同房（分段射精法，抬高臀部1小时）；

9月2日，排卵弱弱阳，体温36.3℃，同房（分段射精法，抬高臀部30分钟）；

9月3日，排卵弱弱弱弱弱阳，体温36.6℃，终于升温了。一点不抱希望，以为卵泡黄素化了；

9月10日，高体温第8天，排卵弱弱弱阳（很清晰，惊喜，以前这时候应该是阴或极弱的阳，觉得有希望，偷偷用早孕试纸，阴，但充分发挥想象后，好像有一条若有若无的检测线，老公坚持说没有）；

9月11日，高体温第9天，排卵弱弱阳，明显加深，早孕试纸显示弱弱弱阳，很清晰，大约3分钟出来，这一天是我29岁生日，狂喜，上天送我的最好的生日礼物，但老公只是高兴，没有表现太兴奋，呵呵，他说怕我再一次“狼来了”；

9月12日，高体温第10天，排卵、试纸、早孕试纸明显加深；

9月13日，颜色继续加深，而且1分钟之内出现；

9月14日，排卵强阳，早孕试纸显示弱阳，两条线几乎同时出现；

9月15日，高体温第13天，排卵试纸用完了，孕试纸显示接近阳，感觉尿液过处立即出现检测线，比对照线还快。

因为测出太早，又怕诈胡，所以今天上医院验血了，医生看了我的试纸说肯定怀孕了，验血结果HCG:7.5mIU/毫升，肯定怀孕。

三、经验总结

◆ 结合基础体温、白带拉丝、排卵试纸（真是个好东西）找准排卵日（颠扑不破的真理），特别是对于月经周期长且不固定的姐妹。

◆ 不要乱怀疑自己（我可谓浪费了不少银子），如果时间长没怀孕，先检查老公。

◆ 对于精液量少的老公（我老公精液量超少，远低于正常值2～5毫升），要降低同房的频率，测到强阳再隔天同房。医生说现在没有太好的办法来提高精液数量，只能从提高精子质量和密度上下工夫。

◆ 相信豆浆、大豆异黄酮的作用，但可以在排卵前4天停用，以防万一。

◆ 一定要放松，我一紧张周期就延长。

超长的升级报告啊，写得我手都酸了。有点乱啊，姐妹们凑合着看吧，但愿能给姐妹们一点帮助，一点鼓励，盼望我们在播种网“怀上宝宝”栏目中见！

“确认升级了”

其实回想起来都觉得是一个好漫长的过程。也许每一个上摇篮网或播种网的姐妹都如此，当我们在“求子”路上遇到挫折时，都会来到这里寻求安慰，互通信息。我从这儿学到了很多东西，也从好多姐妹的升级经验里看到了希望。当我确认升级后，我想我也应该有所回报，而且有些心里话不吐不快。就此写下这一番体会，权当给各位还在奋斗的姐妹加油，也为我自己几个月的辛苦做一个总结。

我是1971年的，结婚5年了。几年来我们的工作都很忙，而且一直也在为诸如出国、跳槽之类的事情折腾，没想要孩子，我们同房并不是很频繁，也很注意，一直用避孕套，所以从没有怀孕过。

从去年7月开始，我们觉得生活安顿下来了，该要一个宝宝了。也真的是咱们国家这种教育方式所致，也因为我们都是远离父母在京城打拼，没有老人在旁边指导，我们甚至都不懂还有排卵期，认为孩子应该是天赐的，想要了，在两个人亲密接触之后，孩子就会来的。所以一开始都是懵懵懂懂，什么都不知道。好在我那时不太忙，有时间上网，无意中看到了摇篮网，学到好多知识。我去做了孕前检查，甚至连防辐射服都买了。看到别人在说什么测体温，我也买了欧姆龙的体温计开始测。（我对这个印象比较深，因为5年前婚检的时候医生还问要不要参加他们的优生优育课题小组，就是让育龄夫妇在生育前测体温，把数据给他们。我想这个测体温的方法就是那时候开始的吧）

网上还说要先检查口腔。我因为从小牙就不好，所以对此比较重视，就去了口腔医院，结果不查不知道，一查吓一跳。我有两颗牙要做根管治疗

（尽管平时根本不痛），还要拔一颗智齿。没办法，开始了两个月的治牙过程。那段时间，我几乎每个周六都在口腔医院（只有周末有时间），牙的根管治疗很麻烦，有一颗甚至还做了根尖手术，好痛哦！不过想到为宝宝做准备，我就有勇气了，老公很忙，我做那个手术都没让他去，连医生都觉得不可思议。说到这儿，我要奉劝准备怀孕的姐妹们，一定要先去检查口腔，哪怕平时没感觉到痛也去查一下，以防万一嘛。

牙治好了，我们从9月开始实施，也开始测基础体温，不过总是没办法坚持，有时早上测完又睡着了，等醒过来已经忘了几度。从9月到12月，我们都抱着随遇而安的态度去要孩子，断断续续记录着体温，知道自己有高温期也有低温期，还从商店买了排卵试纸，偶尔测一下（可从来没测到过两条线），每次同房完后还按照网上姐妹说的，把臀部垫高，甚至老公还拧着我蹶几十下（医生说我的子宫后倾比较严重）。可是那几个月我们出差都很多，虽然在排卵期都会在一起，可是生活打乱了，身体明显感觉不舒服，脸上起了好多痘痘，持续好几个月。要知道，我的皮肤一直很好，即便在青春期也从不长那些东西的。为了宝宝，我没有去看医生。其实现在回想起来才知道，那时候就是内分泌紊乱了，只是那时不懂，如果能及时找中医调理一下，否则应该会好得很快。几个月都没有结果，我着急了。心绪也开始变得烦躁。那时我们会经常吵架，闹别扭，再加上老公戒酒好一段时间，别人都知道我们在要孩子，在别人有意无意的关怀之下，我们都觉得这件事弄得两个人压力好大。

到了12月底，我要出差。临走的时候，我跟老公商量去医院检查一下。因为看了网上的知识，说男的比较好查，所以在我出差期间，老公自己去了医院（在此我要感谢老公的支持！）。回来他电话里告诉我说不太好，医生让吃药。我并没当回事，说吃就吃呗，于是老公带着医生开的一个月的药装了一个大箱子，也去出长差了。当我回到北京，打开家里的抽屉，看到老公的检验报告后，我才惊呆了。那上面显示精子密度只有13.33百万/毫升，运动速度D级（极慢或不动）的为100%，且精子畸形比例为25%！我上网查了很多关于这方面的知识，那上面说类似的情况很难治，我泪流满面。给老公打电话，他也很闷，说对不起我，要我离开他。唉，那是一段什么日子啊，老公出差一个多月，我一个人在家，痛苦几乎不能自拔。好在老公是个很坚强的人，他说先听医生的，有病先治病，治一段时间再说。我呢，觉得反正这个月也没戏了，就找了家中医医院治脸上的痘痘，吃了一个月的中药（其实我想就是调内分泌的），还做了中药面膜，效果不错。于是1月就这样过去了。

到了2月份，老公去医院复查，医生说已经好转很多，坚持吃药就行。我们一下子心里轻松好多。我从非妈那儿买了不孕试纸和排卵试纸，开始监控自己的情况。我本来对自己挺有信心的，因为月经一直很规律，29天左右，也没有什么不良嗜好。而且在去年那几个月断续的体温检测中，也知道自己有高温期、低温期。所以开始我并没有什么担忧，可是我用金时不孕试纸连续测了10天，测得的LH值最高也只是在第11天有25左右，其余的都只有5～10。再翻看原来的体温检测记录，原来高温期有时11天，有时14天。我是不是黄体不足啊？我慌了，在周期第18天冲去医院做了激素6项检查。可是医生说结果显示挺正常的。我问了非非妈妈，也问了好多姐妹，信心又回来了。即便是黄体不足，也不是无药可救啊，吃药、食补不都可以吗。老公也老劝我，说不能老觉得自己有病，身体在每一段时间都会出现不同的状况，我们不会有事的。于是我又在非非妈妈那儿买了两盒金时不孕试纸、金时优生试纸，还有大卫的排卵试纸、早孕试纸，做好了长期抗战的准备。对了，医生还给我开了两种中药，是补肾方面的，说从月经第5天开始吃，先吃一种叫“温肾养血”颗粒，吃5天，然后吃“培育颗粒”，也是5天，说吃了有好处。

3月，春天来了，迎春花开的时候，我们也做好了准备。应该说这个月才是我们对怀孕这件事最清楚的时候，对与之相关的一系列知识有了真正的了解，是“万事俱备，只欠东风”的时候了！我每天坚持量侧体温，从月经第5天开始每天吃药。按金时不孕试纸的要求，从第11天开始量测LH值。我没有用排卵试纸，因为我觉得能测到准确的LH值会更有帮助。在第10天的时候我出差了两天，可能环境变化，所以体温异常升高。不过回北京后就好了。我的体温在第15天低到36.24℃，第16天升到36.37℃，然后第17天就到了36.6℃，此后一直保持高温。而与之相对应的LH值测试，第15天为10，第16天为40，我知道到了很重要的时候。于是在第17天，早上测到体温已经升高后，我分别在早上8点、下午3点和晚上9点用金时不孕试纸测试，LH值分别为55、30和10。这就是最关键的一天了！所以那天晚上我们及时同房了。

4月，就是一个字，等。真的是等到花儿都开了，在4月13日，也就是周期第30天，高温第14天的时候，我用早孕试纸测到了弱阳。没敢告诉老公，怕万一诈胡给他太大的压力。一个人在开车上班的路上喜气洋洋，虽然路上还是那么堵，可我怎么就觉得车都飘起来了呢？ 体温一直维持在36.8℃以上，一向粗心的老公也注意到我粘在冰箱门上的体温记录表，每天等我测完体温，睡眼蒙眬的他就会问一句：“今天几度？”听到体温没下降，他就会心满意足地翻过身，说：“再睡一分钟……”

到4月15日，因为家里的大卫早孕试纸就剩了一张，老公就去药店买了“孕友”，15元一支，挺贵的。16、17日连测两天，都是明显的两条线，只是测试线浅一些。我在网上问过，虽然非非妈妈和姐妹们都说我是中了，可我还是不放心。到20日早上，高温第37天，我用了最后一支“孕友”，是两条一样深的线哪！下午我忍不住要去医院，想听到医生最权威的话，老公很忙，可也一定要陪我去，说“这么重要的时刻我怎么能不在呢？”我在医院的化验室旁，看到那根试纸也很快呈现双线，大夫在上面扣上“阳性”这个章，我都快哭了。老公搂着我，亲切地叫着“孩子他妈”，我却什么也说不出来了。

我知道，我已经踏上了漫漫长路。我要度过最危险的头3个月，然后去医院检查、建卡，我要为宝宝吃好吃的，为他念故事书，为他做一切，我的生活从此将改变。

对了，说说我的早孕感受吧，好像并没有像有的姐妹那样有很多反应。几天来我只是觉得小腹胀胀的，有一点隐隐的痛，好像要来月经的样子。医生说没事，只要不出血，不是痛得厉害就没关系。还有我就是容易饿，想睡觉，但不知这跟春困有没有关系。其他的，可能我一直对身体的变化不是很敏感，也就说不出什么了。

太啰嗦了吧，耐心点，我这就做个总结：

◆ 怀孕前要检查口腔，还有要做妇科检查。

◆ 老公的精子质量不高不要着急，因为现在工作太累，身体都会有影响。只要听医生的，吃点药调理一下，还有平时也注意多吃点有营养的，很快就会好的。

◆ 如果用类似大卫的排卵试纸就要坚持，像我断断续续的，就从没有测到过“中队长”。我个人认为LH半定量不孕试纸比较好，能确切知道你的LH变化曲线，如果再能结合体温观测，那对排卵的情况就很清楚了。

◆ 子宫后倾的也不要怕，我是很严重的子宫后位哦。

◆ 最重要的一条，就是大家都不要太紧张，放宽心，相信自己，你一定能行的。

好了，该收笔了，不然看的人都会犯困了。我要感谢我的老公，他承受了那么大的压力，却不在我面前表现出来，还一直在安慰我，支持我。我要感谢摇篮网、播种网，给我们这些姐妹一个很好的交流平台，也感谢非非妈妈和各位热心的姐妹，我从你们那儿收获了知识，也收获了信心。我祝各位姐妹好孕相伴！

CHAPTER

第5章 非妈助孕法 3 促使卵泡产生、卵子排出

前一章，我们介绍了有关精子的基本知识，这一章我们来详细介绍另一个基本的生殖细胞——卵子。

卵子和精子结合在一起，就是一个新生命的开始，所以评价女性的生殖能力，主要看是不是每个月都有一个成熟的卵泡出现，并且在合适的时间破裂，排出一个卵子。这是生殖的基础，有了这个基础，其他的条件才有存在的意义。这就像我们要进行一项水利工程，不能不分青红皂白地把水库和灌溉渠道先修得整整齐齐，然后再去寻找水源。如果最后找不到水源呢？那么，先前进行的工程建设不是白弄了吗？

所以，我们要认识到女性的基础生殖能力是排卵，而绝不是其他，不可本末倒置。

那么卵泡是怎么发育的呢？一个月能排出几个卵子呢？卵子都能正常排出吗？姐妹们，别着急，本章一一为你们介绍。

CHAPTER

5

非妈助孕法 3

促使卵泡产生、卵子排出

1 认识卵泡的方方面面

女性的原始卵泡是与生俱来的，女性新生儿两侧卵巢就有70万～200万个原始卵泡，到青春期约有4万个。在胎儿及儿童期可偶见少量卵泡生长，但都不能发育成熟。从青春期开始，卵巢在垂体周期性分泌的促性腺激素的影响下，每隔28天左右就有1个卵泡发育成熟并排出1个卵子，左右卵巢交替排卵，女性一生中约排卵400余个。

所以，大家应该清楚，卵泡是在促性腺激素的作用下，才会发育成熟的，没有了促性腺激素，它们就成了一群永远长不大的孩子！

卵泡由卵母细胞和卵泡细胞组成。卵泡发育是个连续的过程，一般可分为原始卵泡、初级卵泡、次级卵泡和成熟卵泡4个阶段。初级卵泡和次级卵泡又合称为生长卵泡。过去我们一般认为，从原始卵泡发育至成熟排卵是在1个月经周期内完成的，但是经过最近的研究证明，实际上卵泡生长速度较慢，1个原始卵泡发育至成熟排卵，需要跨几个月经周期才能完成，一般需要85天的漫长时间。我们知道，精子发育成熟需要90天的时间，因此，养育一个新生命绝对不是一件轻而易举的事情，需要父母亲长时间的准备！

我们并不需要详细了解卵泡的发育全过程，只需掌握它的几个重要方面就可以了。从初级卵泡成长至成熟卵泡可分成8个等级，前5个等级太小，生长的时间太长，没有太大的实际意义，从第6级开始才是我们要关注的重点。

第6级卵泡直径为5毫米；经过5天时间，长大到10毫米，成为第7级卵泡；再经过5天的发育，成为第8级卵泡，直径为16毫米。第8级的卵泡，就是成熟卵泡了！所以，从第6级卵泡长大到第8级卵泡一共是10天时间，正好就是一个月经周期中的卵泡期。

16毫米的第8级卵泡再经过2～3天，就会发育成20毫米的卵泡，在LH

（黄体生成素）的促发下，排出卵子。

我们知道了卵泡的等级有什么用处？假如我们把第6级卵泡看成是“初中”，第7级卵泡是“高中”，第8级卵泡是“大学”，那么就是说卵泡一旦超过了16毫米，就等于是“大学毕业”了，16毫米是成熟卵泡的临界尺寸。

第6级卵泡的直径为5毫米，没有什么实际意义，就像我们国家实行全民义务教育制度，每个儿童都要接受初中教育一样，一般的卵泡都会达到这个尺寸!

第7级卵泡的直径为10毫米，我们发现，在高中阶段，辍学的人就比较多了。所以多囊卵巢综合征患者的多个卵泡往往是在10毫米以下闭锁的。

卵泡直径到了10毫米以上，就进入了“大学阶段”，这个时候的卵泡就更会异常发展。他们的发展方向一般是：

◎ 正常发育，直到“大学毕业”；
◎ 提前“离校”，出现小卵泡排出；
◎ 萎缩了，出现小卵泡黄素化现象。

所以，16毫米以内是卵泡的多变时期!

何时“大学毕业”——卵泡长到多大才会排卵

许多姐妹都做过B超监测排卵，想知道卵泡要发育到多大才会排卵。

经过大量数据的统计，女性的卵泡直径在排卵前3天，平均值为15毫米，前2天为18.6毫米，前1天为20.5毫米。也就是说卵泡发育到20毫米左右，就快要排卵了。

这里需要说明两点：

◎ 该数值是测量了许多人之后得到的平均值，具体到每一个人会有所不同，但不会差得太远。

◎ 卵泡在开始的时候发育得比较慢，在接近排卵日发育得比较快，所以不用太早去做B超监测。

3 月经这回事儿

月经，是每个女性都会经历的生理过程，几乎很少有人例外，每月都会重复。这种月月都会重复的生理现象，虽然看似寻常，然而如果要探究它的形成机理，还是颇为复杂的。确切地说：它的形成与激素有关，与激素的高低有关，尤其与激素的高低变化有关。**没有一定水平的激素，就不会出现月经现象；没有激素有规律的变化，就不会有周期规律的月经。**

月经是子宫内膜出现周期性脱落而导致子宫出血而形成的。女性的子宫组织结构分为3层：外层为浆膜层，中间层为肌层，内层为子宫内膜。其中浆膜层与肌层是不会发生变化的，唯有内膜层是会发生周期性变化的组织。而生育女性的内膜，还可细分为3层：表层为致密层，该层很薄，被一层柱状纤毛上皮所覆盖，分泌腺较少；中层为海绵层，较厚，有许多腺体、血管和淋巴管；最内层为基底层，与子宫肌层紧密相连。致密层与海绵层在月经期脱落，月经后再由基底层修复。

月经期正常持续2～7天，多数为3～5天，出血量以第2、3天最多，总量为50～80毫米。月经血呈暗红色，成分为血液、子宫颈黏液、破碎的子宫内膜组织和脱落的阴道上皮细胞等。因为子宫内膜中含一定量的激活剂，使凝固的纤维蛋白裂解为流动的降解产物，从而使月经血变成液体状态，所以月经血是不凝固的。

女性随着年龄的增加，雌激素水平不断提高，小女孩步入青春期后，大多数在13～15岁来第一次月经，称为初潮；当雌激素下降以后，女性会进入绝经期，最早的绝经现象出现在40岁前后。从这个规律，大家可以看出来，月经是性激素作用的结果。

有人认为，有了月经就具备了生育能力，其实不是的。女性在初潮以后的若干年，至少两三年内是没有这样的能力的。这主要是因为女性性腺轴各器官（下丘脑-垂体-卵巢）正处于磨合阶段，各种激素之间的相互影响尚不协调，所以初潮以后的月经没有规律可循，直到卵巢中出现正常的卵泡发育，有正常的卵子排出，形成有排卵月经，月经周期才会趋向规律，才具备了真正的生育能力！

原来如此——月经周期的长短由卵泡决定

前面介绍了，月经是由于子宫内膜每月一次的定期剥落而形成的，在这里我要强调一下，这绝不是子宫的主动行为，而是受另一个器官控制而产生的被动行为。这个器官就是卵巢。卵巢中每月发育成熟1个卵泡、排出1个卵子，这是子宫内膜周期变化的真正原动力，也就是说月经周期是以卵泡发育的周期为基础的。

一个完整的月经周期完全由卵泡发育所控制。当月经开始，卵巢中就有1个或者数个卵泡发育，随着卵泡逐渐长大，雌激素水平不断增加。在雌激素的作用下，子宫内膜基底层细胞增生，修复内膜剥落后的创面，月经停止；以后内膜继续增生变厚，腺体增多，此时内膜处于增殖期。卵泡发育到20毫米左右，成熟了，此时雌激素会突然升得很高，带动另一个激素LH（黄体生成素）出现一个脉冲，于是卵泡破裂，卵子排出，残剩的卵泡转化成黄体。黄体产生大量的孕激素和雌激素，在孕激素的影响下，子宫内膜继续增厚，腺体进一步增大，弯曲，并出现分泌现象，此时的内膜处于分泌期。

所谓增殖期和分泌期是子宫内膜组织形态学上的区别，医生根据内膜的状态就能够判断卵巢有没有排卵。内膜增殖期完全是因为卵泡发育产生的雌激素造成的，因此也称为卵泡期；而分泌期是因为黄体产生的孕激素造成的，所以这个时期被称为黄体期。

所以，整个月经周期就是以卵泡破裂、卵子排出为分界线，形成两个前后不同的区间。由于初级卵泡发育至成熟卵泡的时间是14天，而正常黄体的寿命也是14天，因此标准的月经周期是28天，但是只有15%的女性月经周期为典型的28天。其余大部分女性的卵泡发育不是快了，就是慢了，不过只要在28天的正负7天内也就是21～35天的月经周期都算正常。需要强调说明的是：月经周期的长短，差别完全取决于卵泡发育的快慢，卵泡发育得慢，卵泡期就被拖得很长；卵泡发育得快，卵泡期就缩短，而黄体的寿命是不变的，为14天（最多误差2天）左右。

5 受孕困难的原因之一——无排卵型的月经失调

卵泡发育正常，并可正常排卵的女性，其月经周期是很有规律的，时间相对较固定。而有相当一部分女性月经从来找不到什么规律，长期受月经不调所苦，这部分女性受孕机会比有正常月经的女性少了很多。月经不调，在医学上有一个专门的名词——功能失调性子宫出血，简称功血。典型的症状有月经周期紊乱，血量时多时少，检查子宫内膜会呈增殖现象而无分泌期变化等。

一旦出现无排卵型的月经失调，对于有生育要求的姐妹来说，首先是不要紧张，接着是求医问药，积极治疗。那如何治疗？既然月经失调是因为没有排卵引起的，那么治疗的宗旨自然应该是千方百计让患者恢复排卵，有了排卵月经就会规律。

姐妹们，请记住，有排卵的月经通常是很有规律的，而无规律的功血通常是在提示卵泡发育异常。**所以女性一旦步入青春期，就要非常注意自己的月经过程：包括周期与经量等。正常的月经表示有正常的排卵，有正常排卵表示有正常的生育能力。如果发现自己出现没有规律的功血，就应该及早检查和调理，因为这很大程度上提示了每个月没有卵泡发育和卵子排出。**

6 有排卵月经与无排卵月经的区别

如何区别有排卵月经和无排卵月经？如果月经很有规律，2次月经间隔最长不超过40天，最短不少于20天，带血3～7天，血量中等，那么一般是有排卵的。这是因为当卵细胞排出后，卵泡囊壁变成黄体，如果卵细胞没有受精，黄体在14天内会萎缩，这时子宫内膜失去雌激素和孕激素的支持，便会缺血、坏死、脱落，于是月经来潮。如果没有排卵就没有黄体，也就没有孕激素，子宫内膜仅靠雌激素的支持，但是雌激素量的变化是没有规律的，时多时少，子宫内膜的剥落仅取决于雌激素水平的波动，当雌激素水平下降时，内膜剥落，形成月经，所以月经也表现出没有规律，间隔时间最长可达数月，最短仅几天。经血淋漓的状况有时可长达十几天。出现这种现象，那么，无排卵几乎是肯定的了。

7 黄体，怀孕不可或缺

对于黄体，大家并不陌生，孕激素，这个重要的激素，就是它分泌的。

女性的月经周期，以排卵为界限，分为两个明显不同的时期：卵泡期和黄体期。排卵以前是卵泡发育成熟阶段，称为卵泡期。排卵以后，排出卵子后的卵泡壁内陷，血液填充泡腔，形成血体，此后新生血管长入，残留卵泡细胞增殖，在LH的作用下发生黄素化，颗粒细胞和内膜细胞分别转化为颗粒黄体细胞和卵泡膜黄体细胞，胞浆中积聚黄色的脂质而外观呈黄色，称为黄体。黄体会不断地发育，孕激素明显上升，于排卵后5～10天的黄体高峰期形成峰值，以后略有下降，至黄体退化时迅速降低，这一阶段被称为黄体期。

对于渴望一个小生命的未准妈妈来说，黄体是非常重要的。黄体不足会使子宫内膜分泌不良，造成着床困难。即使着床了，也由于孕激素支持不足而停育或流产。

◎什么叫黄体功能异常

黄体功能异常主要有以下两种表现：

◎ 黄体功能不足。有排卵但黄体发育不良，过早衰退，分泌孕激素不足，有时不能维持子宫内膜，引起不规则脱落而出血；经常出现在经前数日少量阴道出血，基础体温测定高温期少于12天，或者体温上升幅度小于0.5℃，或者黄体期体温波动大，内膜检查为腺体分泌不良。

◎ 黄体萎缩不全。虽然黄体发育良好，但萎缩过程延长，雌激素、孕激素不能如期撤退，子宫内膜不规则脱落，使出血期延长，有时延长可达10余天，基础体温下降缓慢，甚至月经期还维持着高温。如果在月经期第5～6天取内膜检查则似有腺体分泌现象存在。

◎判断黄体功能好坏的方法

孕激素是黄体产生的，因此黄体的功能可以用分泌孕激素的高低来衡量。分泌的孕激素高，说明黄体功能好，分泌的孕激素低，则说明黄体功能不足。如果你想知道自己黄体的状态，就必须在黄体期也就是在排卵后的7～8天去做性激素检查，因为这个时候的孕激素水平最高。

测量基础体温也可以判断黄体功能，因为体温曲线的走向基本上反映了孕激素的波动，所以用它来判断黄体功能是很正确的。在基础体温曲线的走向上，我们可以看出许多问题：当高温比低温高出0.3℃以上，高温天数保持12天，从低温爬升到高温很快，在高温区的体温不是上下激烈波动时，说明黄体功能很正常！而不符合上述条件之一的，就说明黄体功能存在问题。

体温曲线最常见的有3种类型：

◎ 典型的双相体温曲线。在排卵后，黄体分泌孕激素，体温迅速上升0.3～0.5℃，并持续至下次月经来潮前才下降。

◎ 黄体功能异常的双相体温曲线。

· 体温上升缓慢；
· 体温升高的幅度不足；
· 黄体期不足12天；
· 月经来潮后，体温仍持续在比较高的水平。

◎ 单相体温曲线。无排卵的月经周期，缺乏孕激素，体温虽有波动，但无持续性的升温。

◎ 发现黄体不足该怎么办

发现自己黄体不足，姐妹们都很着急，此时她们经常会提出一个问题：吃什么食品能够补充黄体？没有一个医生会给你一个明确的答案，因为在食品中，很难找到一种含有孕激素的食品。

对黄体不足的姐妹，医生常会采取激素疗法，既然你的黄体产生的孕激素不足，那么就从体外补充它。有的姐妹接着会问，进行了激素疗法，是不是以后黄体功能就此解决了呢？不是。所谓激素疗法，只是解决了这届黄体的问题，随着这一届黄体的消失，作用也就消失了，下一届黄体怎么样，谁也说不清楚。如果下一届的黄体功能还是不足，那么，这种治疗还得继续。所以，西医的激素疗法只是个治标的方法。

要加强黄体必须从头做起，我的观点是：有一个发育良好的卵泡，才有一个良好的黄体。

但是相信这一观点的人好像并不多，因为还有不少姐妹在不断地询问，如何治疗黄体不足？而没有重视如何加强卵泡发育。我现在引用美国费雷德里克森医学博士的话来增强这一说法的权威性，他说：黄体正常功能需要良好的排卵前的卵泡发育。

大家为此一定要把注意力放在卵泡良好发育上面，到了黄体阶段，木已成舟，再怎么治也只是修修补补而已。我们要调整整个内分泌系统，让卵泡正常发育成熟起来，这才是解决黄体问题的根本。

◎ 如何有一个良好的排卵前的卵泡发育

卵泡从初级卵泡发育成为熟卵泡需要有一个合适的内分泌环境。现代医学对女性的性激素变化已经有了充分的研究，发现和生育有直接关系的激素有6项之多，这就是大家熟悉的性激素6项：雄激素、泌乳素、孕激素、卵泡刺激素（FSH）、黄体生成素（LH）和雌二醇（E2）。在这6项之中再进行分析，发现雄激素和泌乳素是个不变的常数，只要低于某一个数值，就与卵泡发育无关；而孕激素虽然有变化，但是大量出现在排卵以后，在排卵前是很少存在的，因此也和卵泡发育无关；最后剩下的只有3项激素：LH、FSH和E2，它们与卵泡的发育息息相关。

FSH称为卵泡刺激素，LH称为黄体生成素，E2是雌二醇——雌激素中

活性最强的部分。这些激素的命名是很科学的，顾名思义，就知道它们的作用。

卵泡开始阶段就是在FSH的刺激下启动的，启动的时间是在女性的月经阶段，接着卵泡在FSH和雌激素的共同参与下逐步发育成熟。

姐妹们一般在月经的第3天去检查激素，这个时候雌激素很低，但是不要紧，雌激素在整个卵泡期肯定是一天比一天高的，到了排卵前的50～80小时到达高峰。这个雌激素的高峰十分重要，当它到达200pg/ml以上，就产生了正反馈，使垂体分泌大量的FSH和LH，于是卵泡就出现了量变到质变的过程——排出卵子。接着，卵巢中黄体出现了，黄体的维持就依靠LH持续旺盛的分泌。

我已经多次提到200pg/ml这个数据了，请大家注意，它有一个专用名称，称为雌激素的阈值，所谓“阈”就是门槛的意思，说明它具有非同寻常的意义。一旦超过了这个值，就会对垂体产生正反馈作用，假如在这个高水平上维持50～80小时，就会引发LH和FSH升高，LH和FSH的升高，将启动卵母细胞的有丝分裂，为卵泡破裂和颗粒细胞黄素化做准备。

我猜想，知道雌激素有个阈值的姐妹不会很多，而了解自己雌激素是不是越过了这个门槛的则更少。因为大多数医院做这项激素的时间是在月经的第3天，这个时期的雌激素很低。而仅仅根据这个数据，就想去正确预测今后的变化，是非常困难的。

所以我们总结出，要想有一个良好的排卵前的卵泡发育，女性体内必须有良好的雌激素分泌。

8 难以捉摸的卵泡黄素化现象

卵泡的发育是姐妹们魂牵梦萦的一件大事，一个月只排卵一次，一年也只有12次的怀孕机会，但卵泡的发育有时不好捉摸。在B超监测下，明明看到一个卵泡在发育，但一下子又不见了，原来是发生了小卵泡排卵事件（卵泡直径小于16毫米时发生了排卵）；有时候看到有一个卵泡直径长到了20毫米，是非常合适的成熟卵泡，感觉马上就要排卵了，跟踪监测，结果发现这个卵泡竟然不断地长大，直径超过了30毫米也没有排出卵子。出现了这样的情况，医生们也无计可施，眼睁睁地看着卵泡的颗粒细胞受LH的刺激而发生黄素化的变化。这是一种不孕症的症状，正式的名称为“未破卵泡黄素化综合征”。

是什么原因导致卵泡黄素化？很难说清楚，因为原因太多。卵巢中局部蛋白溶解酶不足，前列腺素缺乏，女性患有子宫内膜异位症或盆腔炎等都有可能导致未破卵泡黄素化综合征。

排卵正常的女性，偶尔也会出现一两次黄素化现象，更不用说排卵不正常的女性了。比较头疼的是，即使卵泡黄素化了，我们也感觉不到，所以说，正常的受孕率只有20%，这就是因素之一。

没有感觉是不是就没有办法了呢？也不是！办法还是有的，那就是连续进行B超监测。**从月经的第9天开始监测，到体温上升的时候，观察到卵泡塌陷、缩小了，则表明卵子已经排出。如果看到未破卵泡还在不断长大，那么，就应考虑是发生本症了。**

不过，B超只能证实这个卵泡是已经排出了或者根本就没有排出，而不能在开始的时候就预测到它的发展方向。现在，来介绍一种能够预测卵泡发育的方法：那就是采用半定量不孕检测试纸。这种试纸很科学，能够测出女性身体内每天LH的具体数据，把每天测到的数据填入一个表格中，再把这些点连起来，就能够得到一条LH的变动曲线，从这条曲线的走向，就很清楚地看出卵泡会出什么状况：

◎ 未破卵泡黄素化综合征的LH曲线是缓慢地上升又缓慢下降。

◎ 有排卵的LH曲线，LH水平比较低，当它突然出现一个高峰，就提早了一天告诉你排卵快发生了。

◎ 多囊卵巢的LH曲线是处在高水平上没有任何波动的。

◎ 没有排卵的LH曲线是处在低水平上没有波动的。

你只要看到LH曲线的形状，就知道卵泡将向何处去，一目了然！

9 偶尔玩失踪的卵子

排卵时，卵子随卵泡液流出，这时输卵管受雌激素作用，其外口发生较为活跃的蠕动现象，到卵巢表面去“抓取”卵子。因为输卵管的伞端和卵巢表面有一定距离，而且是“盲抓”，所以并不是十拿九稳，有时卵子被抓进输卵管（从排卵到抓进，大约要10分钟），有时会发生失误，卵子坠落腹腔中而退化并被腹膜迅速吸收。而一旦卵子坠落腹腔，那么夫妇俩这个月的努力就泡汤了。

10 天然维生素E，为怀孕保驾护航

前面讲了天然维生素E和男性精液质量的关系，现在再着重叙述一下这种维生素对女性的作用。由于天然维生素E能够促进垂体前叶分泌促性腺激素从而调节了性机能，因此对女性特别有利！

在黄体开始萎缩，月经来临期间，雌激素和孕激素水平下降，解除了对下丘脑的负反馈，垂体开始分泌FSH和LH两种促性腺激素，卵巢中的卵泡开始发育。如果垂体前叶分泌的FSH和LH不足，卵泡就不会发育，或者发育得很慢，这种情况是姐妹们经常会碰到的，她们去做B超，有时竟然看不到卵巢中有卵泡出现，究其原因往往就是缺少一个卵泡发育的启动力量——FSH。

天然维生素E能够促进FSH和LH的分泌。英国列斯大学曾经对215名接受人工受孕的妇女进行维生素和受孕率的研究，结果发现，服用过维生素片的女性，在她们的卵泡液中都能够检测到丰富的维生素C和维生素E，由于这些维生素的有益作用，怀孕的机会比没有服用的女性高出40%。

当然，卵泡是在雌激素和FSH的共同推动下生长的，推动因素并不是维生素E，然而其生长过程往往多变而不稳定，经常出现卵泡长到一定大小以后，停在那里不动了；有时候甚至还会越长越小，这种状态，直接妨碍了卵子的排出，从而降低受孕率。维生素E的存在，极有可能减少了这种不稳定性，使卵泡的生长变得较为顺利。列斯大学的研究结果，已经为我们证明了这一点。

卵子一经排出，月经周期进入黄体期，维生素E增加了黄体细胞的数量，黄体增大，因而增强了黄体功能。这一点已经被许多姐妹所证实，她们明显感到吃了维生素E后体温曲线变好了，双相明显了。

一旦怀孕，姐妹们都会很高兴， 但是怀孕的路并不平坦，有时候会突然见红，出现先兆流产迹象，此时就应该及时采取保胎措施，只要你保胎及时，就有一半成功的希望。研究医生开出的保胎药方，最常见的是：注射HCG、黄体酮和口服维生素E一天2粒。这些药物的作用就是提高你的孕激素水平，因为**孕激素是支持胚胎发育的必要条件。**

近来，许多医生对保胎的观点是以防为主，认为与其亡羊补牢，不如防患于未然，尤其对于有流产史的女性，你们千万别等到有了先兆流产迹象时才想到去求医问药。**维生素E有类似孕激素的功能，所以我建议大家只要发现自己怀孕，就一天服用2粒100毫克的维生素E，这是每个人自己在家里就**

很容易做到的事情。

在12孕周之内，是胚胎发育的多事之秋，有一个鲜为人知的危险时刻存在，那就是黄体和胎盘职能的交接期，黄体只是一个1～3厘米大小的组织，它显然满足不了胚胎发育对孕激素不断增长的需要，胚胎的不断长大，孕激素水平必须随之不断提高，这个责任最后只能由胎盘来承担。但有时候，妊娠黄体开始萎缩了，而胎盘却还不能及时分泌足够的孕激素，于是就出现一个激素的空当。这个空当是非常危险的，胚胎得不到足够孕激素的支持，就存在胎停育和流产的可能，在孕早期胎停育的概率比其他期要多得多，就是这个道理。

要设法不让这个空当出现，或者尽量缩短这个空当，具体的办法就是服用维生素E。维生素E，一方面延长黄体的寿命，另一方面增强胎盘的功能，因此在早孕期服用能大大减少胎停育的危险性。

介绍到这，我们来总结一下维生素E的作用：

◎ 在月经期，天然维生素E增加了FSH的分泌，启动卵泡发育；

◎ 在排卵期，天然维生素E存在于卵泡液中，改善了卵泡质量，促使卵泡正常发育；

◎ 在黄体期，天然维生素E增加了黄体细胞数量，提高了孕激素水平，改善了黄体功能；

◎ 在怀孕期，天然维生素E有类似孕激素的功能，具有保胎作用；

◎ 在孕早期，天然维生素E使黄体和胎盘的职能交接顺利，减少了胎停育的风险。

“偶未准半年终于升级了”

曾经一度怀疑自己身体有这样那样的毛病，甚至还想过到35岁还没有就去领养一个，没想到竟然在这个月中标了！真得感谢非妈和播种网上所有的姐妹，赶紧向各位汇报心得。

自从7年前我和老公（那时候还是男友）初尝禁果，做了人工流产以后，体质和体重一直在下降。月经期也从原来的4天拖到6～7天，有时候完全干净要10天。有了那次教训，以后每次都用避孕套，还好没再出过意外。从今年初打算要宝宝开始，我在播种网努力学习播种的知识，开始知道用排卵试纸测排卵，几个月来，除了有两次测到过弱弱阳之外，其余都是“小队长”，我越发觉得自己身体有毛病。

5月份，看了一个老中医，吃了他一个周期的中药，当时他几乎打包票说下个月就能怀孕了，结果6月份的月经如期而至。接着，我去医院做了B超排卵监测，结果发现卵泡长到15毫米就消失了，医生诊断为内分泌失调。于是我挂了最出名的中医生，每次花一两个小时排队，就等着他给你把几秒钟的脉，开三包中药拿回家，连什么情况他都很难开金口跟你说。这样，坚持了一个多月，我觉得太辛苦，太浪费时间，而且没见到什么成效，就放弃了，心想任其自然吧。

我继续投入到播种网上学习，学习非妈和姐妹们的经典帖子。我买了台豆浆机回来，每天自己磨豆浆，还从非妈那儿买了两盒大豆异黄酮，又买了1斤半的蜂王浆，每天坚持吃这些。我7月26日的月经，8月7日用排卵试纸测到阳，那时候真别提有多兴奋了，因为测了半年这是第一次见到两条线一样红！兴奋之余，第二天又测，结果又变回了“小队长”，再结合我7月26日至8月8日的体温，我想肯定没戏了，试纸骗了我。因为测到排卵后的第二天，体温没有上升，直到8月13日，体温开始像爬坡。从8月14日开始，体温升起来了，直到8月20日，我冥冥中有种预感会有点什么，就用早孕试纸测了一下，不到几分钟，还真的有条水印。想到那么多姐妹被蒙过，我还不敢太肯定。从此每隔一天测一次，都是弱阳，直到今天早上，测到第二条线明显加深，我再也忍不住了，去了医院检查，终于确认好孕了。

总结我的好孕经历，有以下几条经验供大家参考：

◆ 喝豆浆和吃大豆异黄酮确实可以很快、很好地补充雌激素。

◆ 放松心情，不要有心理负担，不要总是觉得自己有毛病。

◆ 如果去医院看的时间久了，又没有效果，不妨放弃，换一种方式。

◆ 多看非妈好帖和姐妹们的升级报告，但不要完全把别人的情况往自己身上套。

相信姐妹们都会成功的！

“好孕啦”

我的中文输入很麻烦，本来不想写报告了，但是想到未准几个月来，在这里得到过很多帮助，还是打算写下来，希望对姐妹们有帮助。

我22岁大学一毕业就结婚了，然后和老公一起出国读书。因为两人都一直是学生，经济条件一般，婚后6年一直避孕，没有怀孕过。2005年夏天一过，我28岁了，觉得该要宝宝了，因为想赶上30岁的末班车，而且我觉得有条件的话一定不会只生一个的，所以更要快着点，于是“造人计划”从8月底开始实施。

8月25日～9月24日：这个周期我们还在避孕中，但我开始了三天打鱼两天晒网地量体温，想看看自己的周期到底怎么样。因为自己身体一直不错，很自信，觉得一定没问题。结果体温让我大惊失色。因为高温只有10天不说，排卵后第9天就有褐色的东西了，这是黄体不好的表现。

9月25日～10月28日：开始扔掉避孕套同房。因为上个周期发现黄体可能不好，于是开始认真地量体温，但是郁闷的是体温20多天一直是低温，用排卵试纸也一直测不出阳性。蛋清状的白带却来了好几批（后来知道这是典型的阳虚的表现），只好在有白带的时候同房。到了第24天，发现有了一点血，觉得这可能是排卵出血，晚上又同房。第二天体温升了些。这是个郁闷的周期，因为我未准以前周期也就28天左右，一未准，周期就拉长了。而且到了排卵后的第9天，又有褐色的分泌物了，满以为是着床，但是月经接着就来了。这说明我的黄体真的有问题。于是我开始在网上找延长黄体期的方子（我后来成功地把黄体延长到了12天，很简单，就是服用维生素B_6，具体怎么吃看下面）。

10月29日～12月3日：开始按着网上的方子吃药调整黄体，结果这个周期又是个长周期，到24天时排卵测出了阳性来。前后两天还有排卵出血，于是按时同房。调整黄体的维生素B_6还真有用，黄体期变成了12天，也没有褐色的分泌物了。虽然没有怀上，但感觉黄体进步了，离成功更近了。

12月4日～1月3日：为了进一步调整黄体，我又看了很多的资料，发现自己是阳虚的黄体不好，决定试试中成药。于是月经一开始，我去买了乌鸡白凤丸开始吃。月经一结束，去外地开了一星期的会。回来已经是第13天。我没有马上用排卵试纸测，以为前两个周期是24天才排卵，所以也不急，也没有同房。谁知到了第17天，居然开始排卵出血了。马上用排卵试纸测一测，还真是弱阳。赶快安排同房了一次，第二天一起来，发现温度已经上升了。这个周期就同房了一次，当然是没有怀上了。不过乌鸡白凤丸却被验证是有用的，排卵提前了，黄体也是足足的12天了。

1月4日：这个周期心态有点不同。前几个周期我都是特别想怀上，所以天天盯着体温表看，紧紧张张。这个周期开始时，新学期刚开始，很忙，又觉得老公也快毕业了，还不一定要去哪里工作，所以心态从迫不及待转变成了一种有也好、没有也行。不过决定还是再试一个周期。这个周期还在吃乌鸡白凤丸和维生素B_6。因为前几个月都一直在一个英文的生孩子交流网上混着，知道了一种吃大豆异黄酮好孕的办法（具体怎么吃也写在下面，决不是每天吃啊）。我出于好奇，就试了试。这个周期老公也很配合，从第14天开始，隔天同房，一直到体温升高的第二天，然后就是等待了。排卵后第9天、第10天都用了早孕试纸，结果是一道杠，我的便宜的早孕试纸就用完了。到了第12天晚上，又出去买了两支，心想如果第二天还没有月经，就再试一下。结果在排卵第13天的早上，我测到了清楚的早孕试纸显示为弱阳！

下面是两个方子，希望对姐妹有所帮助。

◆ **加强黄体的方子。**很简单，就是吃维生素B_6，每天50～200毫克。因为很多黄体不好是因为泌乳素高导致，维生素B_6能将泌乳素降下来。这个很有效。有几点要说明：一般的复合维生素里含维生素B_6很少，一定要去买专门的维生素B_6来吃才能达到有效的量。维生素B_6没任何副作用，因为维生素B族的维生素是水溶性的，多余的自然排出体外。维生素B_6可以在整个周期吃，不用担心一旦怀孕它对宝宝有影响，因为维生素B_6还是一种减轻早孕反应的药，孕妇也可以吃的。

◆ **吃大豆异黄酮好孕的方子。**也很简单，在月经周期的早期连吃5天（例如月经的第1～5，3～7或5～9天），每天160毫克或200毫克，然后停下来就行了。为什么呢?大豆异黄酮类似雌激素，到了体内就会和一种本来应该跟雌激素结合在一起的东西结合起来，身体会有一种错觉，觉得你的雌激素不够高，然后多生产出一些雌激素，你的卵泡就会又大又圆，容易受孕。排卵晚的姐妹可以早吃（月经第1～5天的时候吃），这样排卵能提前。早吃的话还容易排双卵，晚一点吃（月经第5～9天的时候吃），会使单卵发育得很好。当然这个方子有个适用范围，如果你很正常，比如每月按时排卵，就没必要吃了。因为这类人吃了，有时会使排卵推后很多。最适合吃的人是排卵不太好的姐妹，比如排卵通常很晚的人。其实它的作用原理跟克罗米芬一样，只不过更自然，当然效力也更小点，克罗米芬也没有副作用。我只吃了一个月，就好孕了，大家可以试试。

CHAPTER 第6章

非妈助孕法 4 保持最佳生理状态——激素的秘密

我在播种网上看姐妹们的帖子，发现不少人都在为卵泡发育的问题担忧。她们期望有一个良好发育的卵泡，却不能肯定一定有一个合格卵泡在发育。就像旧时靠天吃饭的农民，他们年年祈望秋天有一个好收成，却不能肯定一定会有一个好收成一样。随着技术的进步，我们发现农业也可以完全依靠自己，而不必靠天吃饭。在一个小环境里，用计算机把温度、湿度、光照、营养等因素调控在最佳状态时，你想让农作物不长都很难！

对于渴望生育的女性来说，大家应该知道卵泡是在激素的作用下发育起来的。我不希望你们只是个旧社会的农民，把命运寄托在无限期的等待上面，而是应该积极主动地加强对激素知识的学习，调整内分泌，使各种激素进入一种协调的状态，这时你即使不想让卵泡发育，也是很难的！

女性体内跟生殖相关的激素主要是6项，也就是常说的激素6项：雄激素、泌乳素、孕激素、卵泡刺激素（FSH）、黄体生成素（LH）和雌二醇（E2）。这6项激素是相互关联、相互制约的。要了解这些激素的变化规律和它们之间的关系，我们只要抓住一条主线，那就是激素们起伏变化的主要目的——养育一个新的生命。

女性的基础激素——雌激素

雌激素是女性体内最重要的性激素，它控制着女性的生殖系统，从外生殖器到内生殖系统。

◎雌激素的作用

随着年龄的增加，女性体内的雌激素水平不断提高，当进入青春期后，女性会来月经，这标志着女性基本具备了生儿育女的能力。雌激素控制着月经这个周而复始的循环过程，这一切是从卵巢中有一个或几个卵泡发育开始的，随着卵泡的长大，女性体内的雌激素慢慢地增加，于是生殖系统内的一个重要场所——子宫，也开始为怀孕做准备。子宫内膜增生了、加厚了，这是一层种子播种所必需的土壤。当卵泡发育到一定大小，就会排出卵子，而排出卵子的地方，变成了黄体，接着就由黄体分泌出两种激素——雌激素和孕激素。雌激素继续维持着增生的子宫内膜，而孕激素使子宫内膜出现分泌期的转变，说得通俗一点，就是在为土壤施加肥料！它们的配合天衣无缝。有了足够厚度的土壤，又施上了足够的肥料，其目的是让种子能够茁壮成长。然而种子不一定会有，这种情况下煞费苦心的安排就会落空，于是黄体维持到14天左右就萎缩了，黄体所产生的两种激素一下子减少，子宫内膜失去了支持激素的支持就会脱落，形成月经。内膜剥落了几天，卵巢中又有新的卵子开始发育，于是月经停止，子宫内膜开始修复，新的一个周期又重新启动。

知道了雌激素的重要性，我想姐妹们未必知道这种激素是自己身体里的哪个器官产生的。其实，雌激素不是来自一个固定的点，在不同的时期由不同的点产生。在怀孕前，主要是由卵巢产生，而一旦怀孕，雌激素就改由胎盘产生。这是一环扣一环的过程，如果这些环节扣得不紧，就会出现空隙而导致各种问题的出现。

问题一：月经结束后又出现咖啡色的分泌物，滴滴答答好几天。

一些女性在月经周期会遇到一个困惑的出血问题。即经期过了5～7天，月经基本结束了，还会有咖啡色的分泌物流出，滴滴答答好几天。这是什么原因呢？都是雌激素惹的祸。

当黄体萎缩后，子宫内膜失去了激素的支持，变成了月经流出，经量一般是开始少，中间多，后面又少。在月经快结束时，卵巢中一定很及时地会有一个新的卵细胞发育，重新分泌雌激素，使子宫内膜得到修复。这样一来，月经就马上停止了，一个月经周期重新开始。但是，如果卵巢中的这个新卵细胞没有及时发育，比如说晚发育了几天，那问题就来了。因为卵细胞晚发育了，就没法及时分泌雌激素，子宫内膜得不到及时修复，陈旧的内膜便会变成咖啡色的分泌物，淋漓流出，量虽然不多，但是时间拖得很长，这个现象要直到雌激素出现才能停止。这也是女性的经期有长有短的原因，经期的长短主要取决于卵子发育得早一点还是晚一点，其次才是子宫内膜的厚薄问题。

问题二：排卵期出血。

排卵期出血也是雌激素青黄不接造成的。卵泡一旦发育成熟，就会破裂，卵泡破裂后，分泌雌激素的功能就消失了，而此时黄体还没有形成，由于雌激素水平一下子下降了许多，子宫内膜失去支持，就会出现部分萎缩出血的现象，即排卵期出血。

排卵期出血不是每个人都有的，也不是每个月都会出现的，只要你身体里保持一定水平的雌激素，排卵期就永远不会出血！

雌激素的另外一个重要作用是为精子的进入创造条件。一般在排卵前的2天雌激素分泌达到高峰，在雌激素的控制下，子宫颈会分泌大量黏液，流出阴道，形成拉丝。精子没有双脚，只有一条尾巴，只能靠摆动尾巴游泳前进，于是女性就在它们的主要的通道上布满液体，以帮助精子顺利前进，这真是非常神奇的设计。

◎雌激素过少导致的问题

雌激素是非常重要的，如果体内的雌激素少了，会带来身体和精神两方面的问题。

◎身体方面。身心疲惫、皮肤干燥瘙痒、皱纹增加、乳房下垂、发色枯黄、面部潮热、胸闷气短、心跳加快、消化系统功能失调、腹泻或便秘等。

◎精神方面。失眠健忘、烦躁不安、情绪不稳，即便是平时很温顺的女性也无法控制自己的怒火，经常莫名其妙地发脾气，敏感多疑，有时还会产生莫名的忧伤感。

◎雌激素过多导致的问题

雌激素既然这样重要，那么是不是越多越好呢？也不是，如果超过一定的度，也会带来各种问题，例如会使它的接收器官发生病变，造成乳腺增生，乳腺癌；子宫内膜增生，子宫癌；还有卵巢癌等。

所以，千万不要自作主张服用雌激素类药物，如果需要补充雌激素，则一定要在医生的指导下进行。

◎调控雌激素的法宝——豆浆

雌激素低了不好，高了也不行，那么有没有一个削峰补谷的办法呢？也就是说当体内雌激素水平低了，设法提高一点，当体内雌激素水平高了，就将它降低一点。女性体内有没有这样一个器官来操作这项工作呢？好像没有。虽然女性体内没有这样的器官，但我们可以想别的办法。大自然赐给女性的一种食品——豆浆，这是一种有双重功效的奇妙食品。当你体内的雌激素水平过高，将要引起各种癌症时，它会降低你的雌激素浓度；而当你体内的雌激素水平过低时，它又会补充你的雌激素水平，使你的雌激素水平保持在合理的水平上下。

2 怀孕不可或缺的激素——孕激素

对于女性来说，光有雌激素还远远不够，为了当妈妈，还必须有另外一种激素的配合，这就是我们很熟悉的孕激素 。

胎儿的头10个月生命是在母亲的子宫里度过的，这10个月是非常关键的生命起始阶段，原始细胞在这里进行着极其复杂的生理变化，子宫的环境必须要支持和保障这个过程绝对安全与顺利地进行，不能出一点差错！要保证做到这一点，就有赖于足量的雌激素和孕激素！

我们首先来了解一下子宫环境是如何形成的。随着卵泡的发育，雌激素逐渐增加，子宫内膜基底层细胞增生修复内膜剥落后的创面，以后继续增生、变厚，一般在排卵前3天内膜厚度可达8毫米左右，排卵前2天达到8.5毫米，前1天达到9毫米左右。在月经的后半期，孕激素出现，使子宫内膜继续增厚，内膜腺体更长，屈曲更明显。上皮细胞的核下开始出现含糖原的小泡，间质水肿，螺旋小动脉继续增生，细胞内的糖原溢入腺体，此时的内膜厚度可以达到10毫米以上。孕激素在这个时期的主要作用是使间质中的基础物质失去其黏稠性，血管通透性增加，容纳营养物质和代谢产物在细胞和血管之间自由交流。这样，内膜更能获得充分营养，为受精卵着床和发育做好准备。

孕激素是在雌激素的基础上发挥作用的，打个比方，雌激素提供了一套高质量的毛坯房，接着孕激素对毛坯房进行了精致的装修。

许多姐妹有定购期房的经验，签了合同交了定金后，双方会约定一个交房的日期。在交房前，是建筑商的施工队伍在那里施工。一旦房子竣工，房产开发商交给你一套房子的钥匙，交接钥匙是个关键的日子，从此你对这套毛坯房就拥有了主权。接下来大家一般会对毛坯房进行装修，于是，装修的施工队进入了毛坯房。相对应的，在排卵前，只有不断增加的雌激素在子宫里努力营造一个基本的内膜厚度和促使卵泡发育。排卵是个关键的日子，排卵以后，就出现了孕激素——装修施工队，使宫内膜获得进一步的增厚和改善。

对于我们购买的住房，装修是一劳永逸的事情。如果你不立即入住，就让它空着，想什么时候住进去都行。但是子宫的环境不一样。如果当月没有受精卵植入，那么辛苦营造起来的内膜就会被破坏，下个周期再重建，不停地循环反复。

为什么会这样？原来，为了防止细菌上行穿过子宫颈，侵害胚胎，孕激素严密地封锁了子宫颈这个通道。不过既然能够阻止细菌，当然也能够阻挡精子的进入，使大量精子无法再次通过通道与卵子结合，如果没有受精卵植入，孕激素就只能撤掉这道防线。前文已经讲到孕激素的撤退，带动了雌激素一起下降，于是子宫内膜失去了激素的支持，萎缩脱落，形成了女性每月一次非常有规律的生理现象——月经。

孕激素的撤退，带动雌激素一起下降，形成了女性有规律的月经。**因此，凡是有规律的月经通常是有排卵月经。**

如果只有雌激素存在，女性的月经就变得不可预测！缺乏孕激素的拮抗，子宫受雌激素的长期刺激，首先会有内膜过度增生的危险；其次，由于雌激素只有波动，没有规律性的撤退，子宫内膜随着它的波动而不断出现脱落和修复的交叉现象，从而引起不规则的子宫出血。

所以当你的月经周期紊乱了，时而大量出血，时而闭经，你就应该想到，这很可能就是一种仅受雌激素影响的无排卵月经了！

CHAPTER 6

非妈助孕法 4 保持最佳生理状态——激素的秘密

有些姐妹认为，只要有月经，就一定有排卵，这是一种误解。现在大家应该知道了，同样的流血现象，它们之间是有区别的。

当你到了应该来月经的日子，而迟迟不来，这时候，医生们的常规做法就是给你注射孕激素（黄体酮），让子宫出现分泌期转变，隔几天，当孕激素撤退了，月经就来了。

孕激素是不可或缺的，在怀孕前，由于孕激素的拮抗，避免了雌激素对子宫内膜长期刺激而出现的过度增生；由于孕激素的撤退，形成了女性有规律的月经；由于孕激素的作用，使子宫内膜出现分泌期的变化，为受精卵着床建立起适宜的环境；孕激素还封闭了通道，使细菌无法侵害胚胎。在怀孕后，孕激素起到了更为重要的作用，缺少了它，就有流产或胎停育的危险。

孕激素是由卵巢中每月出现一次的黄体分泌的。黄体实际上只是卵巢中的一个组织，通常每月出现一次；但也有可能一次也不出现。

黄体纵然出现，存在的时间也只有14天，最多是16天，最后会变成白体消亡。到了下个月，体内就会出现另一个黄体，等过了一定的天数又再次消亡，周而复始。

所以，从严格意义上说，孕激素并不是由卵巢这样一个常设的职能部门所分泌的，它只是由一个为了完成特定任务而临时组建起来的临时机构产生的。

既然黄体只是个临时机构，我们不得不面对它带来的许多问题。

凡是临时成立起来的机构，都要面临这样一个问题——不稳定，其中包括能力的不稳定、工作态度的不稳定等。在日常工作中我们知道，如果临时抽调来的人员工作能力很强，也很敬业，那么就能够做出成绩；而如果抽调来的人员工作能力既差，态度又不认真，抱着做一天和尚撞一天钟的心态，那情况可就糟了。

在怀上宝宝的这件工作上，黄体也是如此。

黄体是卵巢中形成的一个临时性组织。每个月形成的黄体组织是不一样的，所以就算这个月的黄体功能很强，也不意味着下一个月的黄体功能会一样的强。

所以，如果你连续测试几个月的体温曲线就会发现，几乎不会有两个月的曲线完全一样，有时甚至差别很大。许多人对这种结果都表示不理解，而现在，我们知道了每个月黄体形成的特性，我想大家就不会觉得奇怪了。

现在，我提供一些孕激素的数据，可以通过这些数据去解读内分泌状态，避免自己陷入盲目状态：

◎ 黄体期血清孕激素水平低于3ng/ml，说明没有排卵，也就没有怀孕的可能，内分泌异常；

◎ 血清孕激素水平低于10ng/ml，有力支持黄体期缺陷（黄体不足），内分泌不良；

◎ 在测到HCG的同时，孕激素水平少于5ng/ml，则胚胎一定是异常胚胎，此时应鉴别是宫内孕还是宫外孕；

◎ 在测到HCG的同时，孕激素水平少于10mg/ml，应该立即着手采取保胎措施；

◎ 在测到HCG的同时，在自然怀孕的状态下，孕激素水平高于20ng/ml，就自然排除了宫外孕；

◎ 在孕7周以前，孕激素波动在18～32ng/ml（平均值24ng/ml）之间均属正常，当然高比低好！

姐妹们请收藏好这些数据，很有用的！

3 激素的秘密（1）——始动因子

许多人不清楚性激素的变化规律和它们之间的关系，看到激素检查的一组数据，就像雾里看花，不知所云。其实这些激素的起伏变化，只是为了一个最单纯、最明确的目的——养育一个新的生命。明白了这个道理，我们就抓住了一条非常清晰的主线。

排卵后，排出的卵子就有受精的可能，这个受精卵的发育需要孕激素的支持，所以女性在排卵后体内出现大量的孕激素。而在排卵之前，是没有多少孕激素的，如果有了，就会影响卵泡的发育。促使卵泡发育的激素是雌激素。在排卵之前，主导的激素是雌激素；在排卵之后，主导的激素是孕激素；真可谓是泾渭分明。

受精卵着床以后，需要足量的孕激素，这个激素低了，就有流产的危险，不少姐妹苦于不知道如何提高这个至关重要的激素。想提高孕激素，其实并不困难，只要提高雌激素就可以了。事情就这么简单!

为什么会这样？因为激素不是孤立存在的，它们像一条环环相扣的链条。你牵动了链条的这一端，就会直接影响到链条的另一端。

现在，让我们一起来考察这条激素的链条：为了孕育一个健康发育的胚胎，就需要足量的孕激素支持；要分泌足量的孕激素，就需要一个功能正常的黄体；而功能正常的黄体就要求有一个良好发育的卵泡；而一个优良卵泡上要诱导出足量的LH（黄体生成素）受体；卵子的排出和卵泡的黄素化需要有LH持续足量的分泌和LH受体的充分结合；而促使LH升高和诱导出大量受体的激素是高水平的雌激素和FSH（卵泡刺激素）；而使FSH变动和升高的激素也是雌激素。

因此，最后的结论是：所有这一切的始动因子是雌激素。

激素的秘密（2）——只争朝夕

纵观一条雌激素水平曲线，就知道女性最佳的生育年龄为18～30岁。因为在这个时间段，雌激素处在高峰阶段。18岁以前，内分泌还没有充分协调，而30岁以后，卵巢功能不会继续上升了。在这个黄金时间段内，只要有可能，我建议大家尽早怀孕，宁早不迟，千万不要认为时间还多。要知道一辆新车，有着最好的驾驶性能，作一次长途旅行是轻而易举的事情，但是过了几年，就可能会动辄抛锚了。

时间像一把锉刀，会把原来好端端的东西，锉个面目全非！因此，男女双方都要珍惜你们的第一胎，千万不要因为面子问题或者经济问题而扼杀一个生命，除非存在不能克服的困难，不然一定不要采取极端的措施，轻易采取药物或人工流产，以免造成不可逆转的后果。

激素的秘密（3）——起伏有序

在做试管婴儿的过程中，医生们为了获得多个合格的卵泡，会把雌激素调控到2000pg/ml以上水平，对卵巢具有强烈的刺激作用。在平常当然不能够经常这样做，这只是在特殊情况下采取的一种特殊做法。

不过，它给了我们一个启示，就是如果你感觉到卵泡发育得不理想，卵泡发育太慢，中途萎缩，没有成熟卵泡等，可以通过提高雌激素的方法来解决。

在通常的情况下，女性的雌激素大致波动在24～528pg/ml之间，低点出现在月经期，高点出现在排卵前50小时之内。如果你的激素就是这样波动的，该低时低，该高时高，那么说明你很正常，体内雌激素起伏有序。

由于雌激素对其他激素起着调控作用，所以它起伏有序的变化会把整个周期的内分泌调整得很完美。它低的时候，让FSH和LH两个激素释放出来，FSH的出现促使卵巢中多个卵泡发育；它高的时候，带动FSH和LH激烈升高，从而促使卵泡破裂，卵子排出，黄体形成。

所以，在想要宝宝的这段特殊时间内，你可以主动把雌激素水平提高一些，对顺利受孕很有帮助！**只是要提醒的是：无论是吃药或者是吃含有雌激素的保健品来提高雌激素水平，切记在月经结束以后再吃。**

6 激素的秘密（4）——过程控制

说了这么多，激素究竟如何控制过程呢？这是大家都想知道的一个问题。

卵泡，在原始卵泡阶段，还不受任何激素的影响，到了窦前期卵泡阶段，它的发育，开始依赖于促性腺激素，FSH使颗粒层细胞增多和LH的受体增加，卵泡就开始长大了。这是卵泡发育的启动阶段，启动的动力就是FSH。

FSH开始出现在前一个月经周期的黄体期，因为这个时期雌激素和孕激素开始下降，逐渐解除了对下丘脑的负反馈作用；而雌激素在月经期降到最低点，十分有利于FSH的升高。

现在我们是不是已经清楚了，雌激素在月经期是一个低点，而且，必须形成这样一个低点，才有利于FSH的出现和升高。FSH升高以后，启动了卵泡的发育。它的作用就像汽车启动时的蓄电池，但是使发动机正常工作的能源是汽油，不是蓄电池的电力，所以作为“汽油”的雌激素，应该在月经期结束以后逐步升高，而不能长久停留在低点。

雌激素的迅速升高，加快了卵泡的发育，而卵泡的快速发育，也提高了雌激素的水平。因此，月经期结束后，凡是卵泡发育缓慢的、卵泡期偏长的女性，就应及时补充雌激素。

月经期结束以后，雌激素就必须天天升高了，要达到100pg/ml左右，如

果雌激素低于这个水平，会使你的卵泡期拖得很长。

现在，大家已经知道了雌激素变化的两个阶段：也就是月经期的低水平阶段和月经期结束后的上升阶段。

在雌激素的上升阶段，雌激素对下丘脑又加强了负反馈作用，FSH水平下降，因而使刚开始出现的许多卵泡中的大部分闭锁，只允许其中的一个继续发育，这是女性体内内分泌系统的奇妙安排！

接下来，到了在卵泡期雌激素变化的第3个阶段。

在排卵的前几天里，雌激素冲上了一个高峰，这个高峰的高度必须到达200pg/ml以上，越过了200pg/ml以后，越向上越好，有的医院把这个高峰规定在550pg/ml左右；200pg/ml被称为雌激素的阈值，在这个数值以上，雌激素一反过去对下丘脑的负反馈作用，变为正反馈状态，就是说它的升高会同时带动另外两个激素（LH，FSH）升高，使这两个激素也到达了峰值！

于是在排卵以前，雌激素、LH和FSH这3个激素同时达到了顶峰，为卵泡的破裂、卵子的排出和黄体的生成做好了充分的准备。

现在大家应该非常清楚了，雌激素在卵泡期（注意，是卵泡期）有3个变化阶段：

◎ 月经时的最低期；
◎ 月经结束后的上升期（起负反馈作用）；
◎ 排卵前的顶峰期（起正反馈作用）。

对雌激素来说，低就应该低在谷底，高就应该高到顶峰！

当你的雌激素数值，在月经期很低，比如在24pg/ml左右；上升期保持在100pg/ml上下；而在高峰期冲上550pg/ml（超过200pg/ml）。那么在

最后阶段，就可能把LH带到100IU/L，把FSH带到22 IU/L的高度。

到了这3种激素同时高峰的状态，你就是不想让卵泡快速发育，按时破裂和形成一个良好功能的黄体，都是非常困难的。

我已经向大家介绍了女性每一月经周期中、卵泡期内一条非常标准的雌激素变化曲线，只要你的雌激素是按照这样的一个变化规律在运行，你就不必担心卵泡的发育问题。而一旦发现卵泡发育得比较慢，卵泡期拖得特别长，这个时候，你去测一下雌激素，它的数值一定比较低；而通常存在的黄体不足问题，最大的可能就是排卵前3种激素没有同时达到高峰的缘故!

因此，合适的做法是，在月经结束后，就立即适量地补充些雌激素，而在排卵以前，较多量地补充雌激素，这样做是符合女性雌激素变化规律的。

要补充雌激素，西医经常使用的是补佳乐和倍美力；中医经常使用的是紫河车；而我们自己，完全可以从食物中摄取，含有植物雌激素的食品依次是豆浆、蜂王浆、大豆异黄酮、泰国野葛根等。食品中的植物雌激素仅有弱雌激素作用，因此具有双向调节功能，通常是没有害处的，只要大家能够持之以恒地服用，是一定会有效果的。

7 尽量避免人为促排卵，调整内分泌才是“王道”

看了前面的文章，可能会有人问：是不是吃克罗米芬就能促排卵，而不需要去关心体内的激素水平。

在排卵不正常的情况下，用克罗米芬是能够诱导排卵。但是统计资料显示，用克罗米芬治疗的女性中有80%会产生排卵，但是仅有40%能够受孕。为什么？**因为在内分泌不正常的情况下，即使能用药物促使排出卵子，还是会出现各种问题。**

需要用克罗米芬促排卵的女性，其体内往往没有足够的雌激素，子宫内膜一般比较薄，即使卵子排出，黄体形成，但使用克罗米芬后的黄体常常表现出功能不足，而造成着床困难和流产。

所以，我始终认为，调整好内分泌，让卵泡自然发育，自然排卵，是最理想的境界。

“我的升级报告，附HCG和孕激素数据（子宫小、内膜薄，有胎停史，老公精液不液化及质量差）”

我是1975年2月出生的，老公和我同龄。2001年结婚，从2003年12月开始筹备怀孕。我是内科医生，月经周期是很规则的28天，原以为怀孕是很容易的事情，没想到接连三四个月都没成功。这之后开始上母婴论坛恶补这方面的知识，从网上邮购排卵试纸，开始在科学的指导下播种了。这个过程一直很有信心，2004年5月终于怀上了，但是在50天的时候出现褐色分泌物，我马上去医院检查，在同学建议下做了HCG和孕激素的测定，显示胚胎死亡2周，无奈之下做了人工流产。

经历了这些，我对自己和老公产生了怀疑，于是在流产3个月后，即2004年10月开始着手做了以下工作。

（1）检测自己的基础体温3个月，每天不落，我老公都被我感动了，也积极地投身到我们的“造人运动”中，在这之前他只是配合而已。基础体温显示了我两个问题：①升温慢，在排卵后需要3～5天才慢慢升至高温，而且高低温差距是0.3～0.4℃；②月经来时，体温下降不明显，直到月经结束才降至最低温。就这个体温的问题咨询了妇科专家，说是属于黄体功能不太好，但基本不影响受孕。

（2）每个月用排卵试纸测出阳性的时候我即去医院做B超，不过一个周期只做一次，通过B超的检测我发现，排卵试纸测得很准确，所以做了3个周期的B超后我对自己的排卵有了信心，大方向没有问题。B超提示的另一个信息是“子宫后位，偏小，29毫米×32毫米×37毫米，子宫内膜在排卵期厚度为6毫米”，咨询了很多妇科专家，答复是这两个问题也基本不影响受孕。

（3）检查老公的精液问题。3月20日在我的动员下老公去做了个精液检查，结果是“液化时间超过1小时，A级8%，B级34%，C级25%，D级31%，精子密度54×10^6/毫升，正常精子率97.58%”，这个结果有两点不符合标准，不液化和精子质量差（主要是A级不达标）。就此情况咨询了男科专家，却认为不影响正常受孕（我后来怀孕的经历也证明了这一点）。

从2004年11月开始至2005年2月，期间经历了4个月的怀疑猜测、失望，但我们一直没有放弃努力！直到2005年3月，在我们不懈的努力下，终于获得了胜利！

现在总结一下我们成功的经验，供各位姐妹参考。

- 不要轻易怀疑自己和老公，要做的除了放松还是放松。
- 排卵试纸还不错，要好好利用。
- 要保持合理的同房节奏，在排卵期密集地同房不一定能增加成功率。
- 进行食饮。从上次胎停后我给老公每天两个水果和一粒养生堂成人维生素、一粒维生素E。我自己开始也服养生堂，最近3个月改每天服用玛特纳和一粒维生素E。男科专家认为，精液不液化和精子质量差可以服用前列康和知柏地黄丸，不过我们并没有用药就有了，可见这个问题不影响受孕。

因为我有过胎停孕，这个周期后我基本隔天检测一次HCG和孕激素，现在我把数值贴出来供大家参考。

28天　HCG　44.8 mIU / ml
　　　孕激素　45ng / ml
30天　HCG　158.6 mIU / ml
　　　孕激素　45.3ng / ml
33天　HCG　779.6 mIU / ml
　　　孕激素　38.54 ng / ml
34天　HCG　1922.8 mIU / ml
　　　孕激素　18.82 ng / ml（正常范围为9～18），开始用黄体酮

36天	HCG	4730.2 mIU / ml
39天	HCG	14340.0 mIU / ml
	孕激素	51.0 ng / ml
44天	HCG	52400.39 mIU / ml
	孕激素	51.36 ng / ml

“内异+未准6个月的我，终于好孕了”

我真的好孕了吗？真的吗？这是我最近几天经常问自己的话。真的不敢相信好运降临到我头上，对于双侧卵巢囊肿、黄体不足、排卵没有拉丝的我，好孕确实是太不易了。

可能是因为我经历的心路历程太漫长、太曲折，我的报告想从头一点点说起，也是对这两年来的一个回忆总结吧。如果大家看着太长着急，可以直接跳到“分享经验”的部分。

历史背景

我与老公2000年相识，2002年走到一起，婚姻生活平淡而甜蜜。

2002年6月，意外怀孕，我俩像遭受到莫大的不幸一样抱头痛哭一场，然后又毫不犹豫地去医院用药物流产做掉了。理由是刚结婚，趁年轻得努力工作，哪能要宝宝呢。2003年7月，不幸的我又一次意外怀孕了。我和老公气得简直无话可说，因为这两次失败都是在月经刚干净两三天认为很安全的时候，没采取措施而怀孕的，真不明白老天怎么那么厚爱我们俩，怎么就那么不走运地赶上了。当时我俩的工作都处于比较关键的上升期，谁都不想因为宝宝而分散我们的精力，干扰幸福的二人世界（现在回想起来，当时真的是太不成熟了）。

于是我又一次来到医院准备做掉。然而在做B超检查时，竟意外地发现右侧卵巢有一个7厘米的囊肿。当时我就蒙了，因为长这么大还是第一次听说这种病。医生也并没有过多地解释，只是说有囊肿做药物流产危险，只能做人工流产。早听朋友说过人工流产的痛苦，所以我怕得要命。妈妈和婆婆一听说是这种情况，都劝我把宝宝留着，好不容易把我劝得有点动了心，没想到医生却不屑地对我说："你以为你想留着就能留吗？这么大一个囊肿对宝宝的发育能没有影响吗？妊娠期危险性挺大的。"听她这么一说，再加上我本意就不太想要，就把心一横上了手术台（当时的我真是傻啊，为什么只听医生的一面之词？为什么不自己去多了解一些这种病的知识？为什么把工作看得比自己的身体和宝宝还重要？我觉得我之后两年受的折磨，都是老天对于我的轻率所给的惩罚，是我应该付出的代价。悔啊，肠子都悔青了）。

经历了这番苦痛，我和老公每次亲热都有很大压力，尤其是我，严重的心理阴影，不能享受其中不说，还强迫老公用两个避孕套（但愿大家别骂我残忍啊，这就是我当时的心情，因为打死我都不想再上妇科的检查台了）。

痛苦还没有完全过去，在人工流产手术恢复3个月后，我换到协和医院开始治疗卵巢囊肿。当医生得知我刚做完人工流产手术后，痛斥我的无知："怀孕是对囊肿最好的治疗啊，有了宝宝就能抑制囊肿的长势了啊，何苦要做两个手术，受两次罪呢？！"我彻彻底底地傻了，后悔，伤心，气愤，更多的是无奈，已成事实，我只能选择面对，追究谁的责任也换不回我的健康和宝宝了。

在排了半个月的大队后，终于有床位可以让我住进医院准备手术了。活了二十多年，住院还真是头一次。那种痛苦和恐惧让我至今记忆犹新。经历了N次检查，被推上手术台。麻醉之前，我鼓励自己：一切都会好的，手术做完就没事了，我又可以恢复自由自在的我了。当时我和老公正在办移民，计划先移民再一起去美国读书。然而术后主治医生对我说的话让我的美梦瞬间破碎。"出院后最好4个月内能怀孕，因为巧克力囊肿复发率极高。"一句话惊得还没拆线的我从病床上腾地坐起来，疼得我眼泪哗哗的。难道就没有其他办法了吗？医生说"要么吃孕三烯酮，但副作用是对肝功有影响，我们建议最好是怀孕”。

可恶可恨的囊肿打乱了我所有的计划。

播种历程

试孕第1个月，可能是南北地域温度差异，原本月经周期25天从不迟到的我，直到30天月经还没有来，我和老公兴奋极了，老公开玩笑地说：“你生育能力真强呵，刚第1个月就中招了。”我立刻从非妈那儿买来防护服，俨然一副孕妇形象了。然而让我担心的是，无论是用试纸还是试笔测早孕，始终都是一条线，我开始怀疑试纸有问题。第31天，老公陪我去医院检查，化验结果也是阴性，医生说有可能是时间太短还测不出来，让我过几天再去。我也没用再去，因为从医院回来的当天下午，月经就来了。大大地戏弄了我一回，没想到第1个月就诈胡了，我妈和我姐开始尊称我为“大忽悠”了。

第2个月，也就是5月份，我没有像其他姐妹那样用心地每天测基础体温，只是在月经后第12天开始测排卵。从播种网上恶补了一堆知识后，发现自己黄体不足，月经前后有褐色分泌物，白带无拉丝，排卵期只能测到弱阳。我了解归了解，却并没有采取任何治疗措施，只想碰碰运气试试看。结果可想而知——失败。

6月份，我去医院B超复查囊肿，长大到3厘米，另外医生说我子宫内膜薄，即使怀孕也容易流产。一听这个，我可有点着急了。于是，立即买了机票飞到了西安婆婆家。在那找了一位当地治妇科病很有名的中医，开始吃中药调理。那药有多苦，总之要闭着眼睛，咬着牙才能喝下去。在婆婆家连吃药再保养地待了20多天，自我感觉好了很多，于是又带了一些药飞回了深圳继续播种。为了照顾我，婆婆也跟了过来。

7月，8月和9月，吃了药后，内膜增厚了一点，但排卵仍不见好转。我有点失去耐心了，再加上在家待了几个月，有点烦了，所以开始不专心播种，四处游玩了。在香港疯狂购物，到桂林游山玩水，回北京探亲访友……

只是在排卵期时想到该播种了，才努力同房两次，每次后也像姐妹们介绍的那样垫高臀部待半个小时。9月那次在桂林又差一点诈胡，各种症状都像是好孕了，结果害得我没敢在漓江游泳，回深圳后我还没来得及用试纸测，月经就来了。更让我难以接受的是，10月份B超复查时，竟然发现左侧也有一个2厘米的囊肿，我成了双侧巧克力囊肿了！我失望透顶，真的想破罐破摔了。实在是不想再做第二次手术。下决心开始找工作了，心想上了班也许会好些，分散精力，无心插柳也许就柳成荫了。

同时我也开始怀疑自己，是否除了囊肿之外还有其他的问题，是不是腹腔镜手术后输卵管不通？是不是老公精子质量不好？越想越害怕，越想越烦。我打算等10月份的周期开始，去医院做一下全面的检查，包括激素6项还有造影，拉着老公去查一下精子。10月21日末次月经，本想去做造影的我，在播种网上看到好多姐妹说好痛苦，像做人流一样疼，吓得我鼓了半天勇气也没敢去医院。我从非妈那买了大豆异黄酮和维生素E（其实早就应该买，不应该犯懒，存侥幸心理的）。从25日开始吃，同时按非妈说的，每天喝1升豆浆。10月，我按照非妈介绍的提高受孕率的方法一步一步实施，我和老公的努力终于有了结果——好孕了。

分享经验

提到经验，其实姐妹们从我的报告里也能看出，我不是一个很尽职的播种者，前几个月还算得上用心，后几个月基本上是三天打鱼两天晒网了。所以我的经验可能不像其他好孕的姐妹那么多，提主要的几点吧：

- ◆ 月经前后有褐色分泌物的姐妹，可以吃大豆异黄酮，对改善黄体很有帮助的。
- ◆ 豆浆和维生素E我尽管没吃多长时间，却使我排卵测到了阳。
- ◆ 同房后垫高臀部，然后实施“非妈助孕法”，确实有助于精子进入，提高受孕概率。
- ◆ 放松心情，不把这事当事。该吃的吃，该补的补，该同房的时候同房，尽量不要总惦着是否好孕。无心插柳柳成荫，顺其自然是最好的。

- ◆ 如果信佛的话，可以到附近香火旺的寺里去烧香，不管有用没用，最起码对改善心情有帮助。有个精神寄托，让你感觉有人在帮你，不是你在孤军奋战。
- ◆ 有子宫内膜异位的姐妹，如果囊肿不是很大，不要轻易做手术，腹腔镜手术还是有一些后遗症的，什么盆腔粘连、输卵管堵塞等等。尽量努力先去好孕，同时每月复查。如果长得太大了，超过8厘米了，再去做手术也不迟。
- ◆ 如果试孕几个月都没好孕，也不要整天胡思乱想，忧心忡忡，猜测自己是否有其他的病。我现在很庆幸自己没去做造影，要不然无辜受了罪不说，这个月也不会好孕了。

最后，感谢非妈以及内异楼所有的姐妹陪我走过的这段难忘的日子！还要感谢我亲爱的老公的理解和坚持不懈的努力！祝愿坛里所有希望怀孕的姐妹快快怀孕，尤其是内异楼里的姐妹，加油，咱们在“怀上宝宝”栏目里见！

CHAPTER 第7章

非妈助孕法 5 吃些助孕的普通食物和保健品

经常有姐妹问我，吃什么可以帮助好孕？确实，食品的调理对提高受孕率很有帮助。有意识地注意日常饮食，调整不良的饮食习惯，可以为受孕提供良好的营养基础。网络上、书本中，各式各样的助孕食谱铺天盖地，让人眼花缭乱，不知该如何选择。

其实，有些高效的助孕食品非常普通，甚至普通到会被我们忽略。但是我想说，小食品具有大功效。这些食品在日常生活中随处可见可得，无需复杂的加工烹制，方便安全，省时省力，却对姐妹们或者准爸爸们有诸多益处。想知道这些不起眼的食品，且听我一一道来。

CHAPTER 7

非妈助孕法5 吃些助孕的普通食物和保健品

1 豆浆很普通，特别适合女性

豆浆普通吗？普通！但它含有的黄豆苷原特别适合女性。黄豆苷原是一种结构与雌激素相似，具有雌激素活性的植物性雌激素。许多女性由于雌激素不足而引起的种种不适，在日常生活中可以通过喝豆浆来解决。

关于豆浆的作用，已经做过许多试验。试验发现，女性常喝豆浆，可以调节内分泌系统的功能，特别是体内雌激素与孕激素水平，使分泌周期变化保持正常。另外，长期饮用，还能有效预防乳腺癌、子宫癌和卵巢癌的发生。

再者，实验发现，每天喝上300～500毫升的鲜豆浆，可以明显延缓皮肤衰老，使皮肤细白光洁。所以我建议你们一定要坚持每天都喝！

姐妹们，请记住我的忠告：与其去喝大量碳酸饮料，不如喝新鲜豆浆！

2 酸奶不起眼，女性常饮益处多

再向大家推荐第二种普通食品，对女性的身体健康非常有益，那就是酸奶！

酸奶含有大量的保加利亚乳杆菌、乳酸杆菌和嗜酸乳杆菌等有益菌种，它进入人体后，首先在肠道中抑制致病菌和腐败菌的繁殖，调整肠道中菌群之间的平衡；接着经历7～14天后，就能在女性阴道中分离出乳酸杆菌。长期食用酸奶，对于将阴道内的菌群调节到一个正常的状态十分有望。

姐妹们，享用酸奶，在品味美味饮料的同时，又调整了身体各处的微生态环境，岂不是一举两得！

"大豆异黄激素"——女性必备的保健品

我曾经漫谈过女性体内雌激素的作用，把雌激素称为女性的基础激素。因为女性全身受雌激素调控的组织器官多达400多处，最明显的是生殖系统的各个器官，以及女性的外形体态。除此以外，女性的心脏、脑、血管、皮肤、骨骼也无不受到雌激素的影响。

雌激素在女性的体内应该保持一定的量，不能太低，也不能太高。太低，会出现各种衰老的症状；过高，会导致某些女性特有的癌症的发生。

曾经有一个调查发现，东方女性的癌症发病率明显比西方女性低。为什么？调查报道的主要原因是东方女性喜欢喝豆浆，而西方女性几乎只喝牛奶。研究人员对大豆进行了深入的研究，发现大豆除了丰富的营养之外，还含有一种特殊的物质——大豆异黄激素，也就是植物雌激素。

大豆异黄激素的结构近似于人体雌激素，它可以双向调节人体的雌激素。大豆异黄激素进入人体，当发现你体内雌激素水平比较低的时候，它就与你原有的雌激素受体相结合，表现出雌激素激动剂的作用；当你的雌激素分泌过高时，它可以与你自身的雌激素竞争受体点位，使体内自身雌激素失去活性，表现为抗雌激素作用。大豆异黄激素的双向调节功能非常神奇，它可以使你体内的雌激素始终维持在一个正常水平，从而促使内分泌功能正常，调节月经紊乱，维持正常的月经周期。

对于大自然赐给女性的这种奇妙食品，许多人对它的认识还不足，或者心存疑虑，一旦发现身体出了问题，宁愿进医院，服用合成雌激素也不愿使用这种保健食品来调理身体。其实，女性身体由于缺乏雌激素或者雌激素过多而造成的种种疾病是能够在日常饮食中加以解决的。

那么接下来我们通过对大豆异黄激素这种植物雌激素作用的详细阐述，来加深姐妹们对它的认识。

◎ 活化肌肤。它的类雌激素作用和抗氧化剂作用能延缓皮肤的衰老，使真皮厚度显著增加，激活表皮细胞，锁住深层水分，防止皮肤干裂老化。

◎ 预防发胖。它能有效增强体内糖和脂肪的代谢能力，达到减肥美体的作用。

◎ 提高性生活质量。它可使生殖系统的上皮黏膜营养增多，延缓阴道萎缩性改变，使阴道分泌物增多，提高性生活质量。

◎ 预防泌尿、生殖系统疾病。它能使泌尿、生殖系统上皮细胞内糖原增加，有助阴道内酸性环境形成，从而提高阴道的自洁功能，抵抗细菌侵入，防止疾病发生。

◎ 减低胆固醇，预防动脉硬化。它通过增加低密度脂蛋白受体活性，防止低密度脂蛋白受体过度氧化，抑制血管平滑肌细胞增殖，抗血栓生成等作用机理，使血小板活性降低，减少其在血管壁上的沉积和聚集，阻止动脉硬化的发生，降低心血管疾病的发病率。

◎ 改善睡眠质量。它能有效地改善睡眠质量。

◎ 延缓和缓解更年期综合征症状。它可以补充女性体内雌激素不足，又可调节雌激素水平，使雌激素维持在正常水平，从而起到延缓更年期到来和缓解更年期症状的作用。

◎ 延缓衰老。它能使雌激素维持在正常水平之内，使机体各器官组织充分发挥正常功能，人体代谢功能正常运转，从而防止卵巢过早衰老，推迟女性更年期的到来，而实现延缓衰老的最终目的。

所以，大豆异黄激素是一种女性不能或缺的重要保健食品，建议从青春期就开始补充。

蜂蜜很普通，男性较适合

前面介绍了适合女性食用的富含植物雌激素的食品，现在再来推荐一种富含植物雄性激素的食品。

经常有姐妹们向我提问：需要给老公吃些什么？我的答复是：吃蜂蜜！大家知道，蜂蜜是蜜蜂采集了大量花粉酿造的产物，而花粉就是植物的雄性器官，花粉经过蜜蜂的酶作用后，里面含有大量的植物雄性激素，这种激素和人的垂体激素相仿，有明显的活跃性腺的生物特征，而男人的精子就是在垂体激素的控制下产生的。而且蜂蜜的糖极易被血液吸收，对精液的形成十分有益。如果再同时补充维生素E（维生素E能够刺激男性精子的产生）。那么，你的老公就会更有力地与你配合了。

我来说一个动物趣闻： 蜂王和工蜂原来都是雌性的。在受精卵产下后，蜂王还在幼虫时，由工蜂分泌蜂王浆喂它，它就发育成新一代的母蜂——蜂王；而其他的雌蜂只喂给蜂蜜和花粉，吃不到蜂王浆，于是卵巢等雌性生殖器官发育不好，就成了不能生儿育女的雌性蜂——工蜂。 从这里可以看出，一直吃蜂蜜，原来的雌蜂就不能生儿育女了！ 所以，女人长期吃蜂蜜是有影响的。 我一直认为，女人应该喝豆浆，男人才应该长期吃蜂蜜！

5 “起阳草”——男性之友

韭菜是一种常见的蔬菜，它具有一定的药用价值，除了可降低血脂外，助阳固精的作用也很突出，因此在药典上有“起阳草”之称。

韭菜中除含有蛋白质、脂肪、碳水化合物，还含有丰富的胡萝卜素、维生素C以及钙、磷、铁等矿物质。医学研究证明，韭菜具有固精、助阳、补肾、治白带、暖腰膝的功能，适用于阳痿、早泄、遗精等症，是男性之友，可以让老公们常吃！

6 番茄红素——男性不育的克星

医学研究人员发现，在一些水果（如西瓜、葡萄、西红柿）和某些贝壳类动物体内含有的番茄红素，可以增加不育症男性的精子数量，提高精子的活力。

有关的研究表明，那些不育症男性的体内通常番茄红素的含量偏低。而服用番茄红素3个月之后，男性精子的数量和活力都会有明显的改善，因此被称为“男性不育的克星”。

7 “伟哥”靠不住，要靠维生素

“伟哥”实际上是一种激素，用来治疗男性的阳痿。有一些男士经常依靠服用“伟哥”来完成夫妻的性生活，长期下去是有问题的。提高夫妻生活的质量，不能靠外界的激素来补充，而是必须提供身体必要的营养素，让身体自身来合成必要的物质。

那么，是些什么营养素呢？

◎ 蛋白质。激素的合成必须有足量且均衡的优质蛋白，如果缺少就不能合成相应的激素，也就不能保证有足够的性冲动，没有性冲动，就谈不上有美满的性生活。

◎ 维生素B。维生素B是三大营养物质能量转换的必要物质，没有足够的维生素B的参与，能量的转换将发生障碍，没有了能量，要想达成持久的夫妻生活也是不可能的。

◎ 锌。或许你曾经听过这样的话：充分地摄取锌能让性能力提高。这种说法或许有些夸张，但也并非无根据。如果锌的摄取不足，确实会使性能力衰弱。男性的前列腺中含有丰富的锌，前列腺与性激素的合成有关，它能让精子更具活力，这就是为何锌又被称为“性矿物质”的原因。

◎ 维生素A。维生素A有利于维护皮肤和黏膜的健康，现在有许多女性怕同房，因为每次同房都引起疼痛，为什么？因为缺乏维生素A，阴道干燥，没有润滑，同房时摩擦容易受伤，感觉不舒服，并且受伤后易感染形成阴道炎。

◎ 维生素E。维生素E又称生育酚，与生育功能有关，因为维生素E能保持细胞的活性。实验发现，当缺乏维生素E时，很多动物会发生早产、死胎、流产。维生素E还与黄体激素、男性性激素的生成分泌有关，维持生殖机能。许多研究都表明，许多流产两次以上或曾经早产的妇女，在服用维生素E后，都能生出健康而足月的婴儿。

8 叶酸，可预防神经管畸形

神经管畸形是危害人类健康最严重的先天性畸形，它的表现有无脑畸形、脑水肿和脊柱裂等。中国是神经管畸形高发国家，几乎每出生一千名婴儿中就有3个为这种病儿。

为什么会发生神经管畸形？原因主要是孕早期缺乏维生素，尤其是缺乏一种称为叶酸的维生素；另一个原因是服用了会影响或抑制叶酸吸收的药物，如一些抗肿瘤药物。

为了避免发生胎盘早剥、自发性流产、先兆子痫、胎儿发育不良和低出生体重等疾病，建议妈妈们在孕前和孕后各3个月内每天服用0.4毫克的叶酸。

9 维生素E——抗不孕维生素

维生素大家庭中有一族维生素与生育有关，被称为生育酚，那就是维生素E。维生素E是一广泛的名词，泛指一族脂溶性化合物。自然界存在的天然维生素E为α、β、γ、δ型生育酚和α、β、γ、δ型生育三烯酚8种生育酚的混合体，其中以α-生育酚的生物活性最强。若将α-生育酚生物活性记为1，则β-生育酚为0.5，γ-生育酚为0.1，δ-生育酚为0.03。所以在选择维生素E的时候主要看α-生育酚的含量。

由于生育酚可通过垂体前叶分泌促性腺激素而调节性功能，因此男性服用能够促进精子的生成和活动，增加精子产生的数量；女性服用能够增加卵巢功能，使卵泡增加，黄体细胞增大，并增强孕激素的作用，故常用于防治习惯性、先兆性流产及不育症等。在怀孕以后，维生素E又能够促进胎盘功能，助长胎儿发育，预防早产及流产，因此有“抗不孕维生素”之美称。

在我们日常的饮食中，小麦胚芽、植物油、豆类、菠菜、蛋、甘蓝菜、面粉、全麦、未精制的谷类制品里，都有丰富的维生素 E，好像并不需要特别补充了，但是我要告诉大家的是，维生素E和其他脂溶性维生素不一样，在人体内储存的时间比较短，一天摄取量的60%～70%将随着排泄物排出体外，因此，为了生育的目的，医生会建议你在孕前和孕后多量的服用!

那么服用的量有没有限制？有!

尽管维生素E毒性很小，若长期大量服用，也会损害健康。如每日服用维生素E300毫克以上，可使机体免疫功能下降；每日用量400毫克以上，会发生头痛、眩晕、恶心、视物模糊及月经过多或闭经，甚至因血小板聚集，而引起血栓性静脉炎与肺栓塞，因此300毫克是个不应该超过的量。

对于男性，我有个特别的建议，你们可以将维生素E和蜂蜜同服。前面讲到蜂蜜中含有大量的植物雄性生殖细胞——花粉，它含有一种和人垂体激素相仿的植物雄激素，有明显的活跃男性性腺的生物特征，且蜂蜜的糖极易被吸收，对精液的形成十分有益；而维生素E又能够刺激男性精子的产生。因此，每天吃一点，是有益无害的。

“幸福来得是那么突然——我的升级报告”

真不知该从哪里说起，多少次梦想着自己交上升级报告的那一天，多少次幻想告诉老公：你要当爸爸了。当这一切实现的时候，我竟是如此不知所措！

从2005年起就开始想要宝宝了

2005年3月，看中医，吃中药，吃了一个月，不吃了，未准。

2005年5月，脚痛，打针，之后开始月经不调，并且月经量越来越少。

2005年6～8月，中间都有排卵期出血，时间时长时短，又吃了两个多月的中药。

2005年10～11月，不知是心情的缘故，还是怎么的，月经量很少，做了B超，发现内膜很薄，整个周期的内膜都只有5毫米。

这个时候，我看到了许多非非妈妈的贴子，和自己的情况一对照，知道了我的内膜薄、月经量少的原因是缺少雌激素，而且我的分泌物也很少，拉丝几乎没有。于是我购买了大豆异黄激素和维生素E开始服用。

11月份吃大豆异黄激素后白带有一点点拉丝，12月份拉丝很明显。

在这里，我要说明一下，我用排卵试纸从来没有测到过阳，哪怕是弱阳都没有，也许是我体内的LH峰值低，也许是我错过了时间，也许是排卵没到。在12月份的时候，我在第6天做白带拉丝的时候，测到了最深的试纸颜色，但是那时候拉丝已经快没有了，这时我想起非妈的帖子里有一个“关于几个问题的修正”，里面说到，有些人排卵并不是在拉丝最长的时候，而是在拉丝最后的一两天，我想我就属于这种情况吧。

到了2006年1月，我在1月8日来了月经，量少得可怜，估计是提前来了，内膜没长厚吧。

下面说说好孕这个月的情况：

1月8～12日，经期5天。

1月12～22日，周期第5天到周期第15天，没测体温。

1月23日，周期第16天，白带开始有少量拉丝，低体温。

1月24日，周期第17天，拉丝渐多，低体温。

1月25～26日，周期第18天到第19天。拉丝很多，低体温，试纸弱弱阳，单位里又是开年会，又是吃饭，又是唱歌，过得很快活。

1月27日，明天就是大年三十了，而且是第20天了，我也不知道排卵了没有，体温是低温，白带拉丝已少了，去医院做了卵泡监测，居然卵泡还没有排，有17毫米 18毫米的大小，而且内膜有8毫米。

说明一下，我已经好几个月没做B超监测了，只在吃大豆异黄激素和维生素E，而且这段时间我们办公室时说得最多的就是年终奖，心思也没怎么放在排卵上。

监测了卵泡，医生给我配了针和黄体激素片，叫我年三十打针，然后晚上同房，年初三再同房。我就兴高采烈的回家了。

1月28日，年三十，周期第21天，早上睡得好迟，并且和老公很尽兴地同房了，说好叫老公再陪我去打针，我忽然想起医生说叫我晚上同房的，我不知道有没有事，又打电话给医生向他“汇报”了一下，说我们早上就同房了，医生听了笑死了，叫我快点去打针。但是打针的路上我和老公吵架了，我一气把针扔了，被车碾得粉碎（看来宝宝是希望我们自然地拥有他呀）。

1月29日，年初一，又同房了，周期第22天，同房后我们去黄大仙那求子了，烧了香，不知道是不是那天排的卵，反正那天春光明媚，我和老公还爬山了，很开心，也很放松。

1月30日，年初二，又同房，周期第23天，体温只升了一点点，但还是属于低温，所以我想应该是在29～30日之间排的卵。

1月31日，年初三，升温了，升温第一天，咳嗽了，喉咙痛了（以前从来没有的），并且乳房开始胀痛。

2月1日～5日，体温一直在36.65～36.72℃，没什么感觉，就是一直咳嗽，乳房胀痛。

2月6日，升温第7天，体温37℃，好像感冒了。

2月7～2月10日，体温有所下降，乳房还是胀痛，以前高温期很短的，在这个时候，月经早该来了，在2月10日的时候有一点点褐色分泌物了，我怕死了，认为自己是怀上了，去医生那，把了脉，说脉像很滑的，于是验了血，却什么也没有的。失望死了，晚上呼呼大睡，只等月经来了。

2月11日，体温升了好多，36.85℃左右，晚上出汗。

2月12日到今天，还是高温，今天体温已经有37.15℃啦，并且在2月12日的时候测出了早孕试纸粉色明显水印。

今天去医院验了血，确认好孕了。

在这里，我想告诉月经量少、拉丝少、内膜薄的姐妹们，建议你们吃天赐源的大豆异黄激素，吃上3个月，效果一定很明显的，我是配上维生素E吃的。我之前吃了很多中药，都没有见效。

在这里，非常感谢播种网的姐妹们，谢谢非非妈妈，我经常给非非妈妈打电话，非妈知道我怀孕了，也开心死了。

“奉上我的升级报告”

终于在昨天去医院确定好孕了，给大家奉上这份升级报告，借此感谢一直给我帮助的非非妈妈、众姐妹和播种网！也希望给更多姐妹带来好孕！

第一个周期（2005年10月）

准备怀孕是从2005年10月份开始的，由于8月份治疗我的阴道炎，吃了2周的药，我怕有问题，因此9月份没有开始“造人计划”。“十一”长假过完之后我信心满满地开始了测体温，那时候还没买排卵试纸（可能对自己太有信心了），一个周六发现温度高了，才知道周五可能是排卵日，呵呵，所以说只测温度是事后诸葛亮。

第二个周期（2005年11月）

这个周期在测体温的同时我还开始测排卵了。我注意到我的周期比较长，而排卵则一般发生在周期第20天左右。当有一天我测到排卵强阳的时候，我和老公在晚上安排了一次同房。第二天本来想再进行一次，但由于妈妈生病住院，我不能去老公那里（我们是周末夫妻），所以这个月我心里也知道可能没戏。不过当月经来了的时候，我心里非常失望，开始怀疑是不是我的问题，因为在6月份的时候老公做过一次精子检查，结果非常好，94%的成活率，A级精子好像就有一半以上。总之是一个超郁闷的周期。

第三个周期（2005年12月）

这个月重整旗鼓，在播种网做了大量功课后，我发现自己的白带比较少，可能是因为我治疗阴道炎吃的药，有一点抑制分泌物，而且吃过药之后，我发现我以前的排卵痛都没有了！这是个大问题，是不是说明没排卵呢？所以我跟非非妈妈买了大豆异黄激素，全方的维生素E，早上让妈妈给我打豆浆，还开了斯利安的叶酸片，哼哼，我想在这样全面的攻势下，该没问题了吧。结果，令人吃惊的是，我的排卵直到第25天才出现，整个周期的体温都是乱七八糟的。这是怎么了，吓得我开始怀疑起大豆异黄激素和叶酸来（这个周期我的大豆异黄激素是从第一天开始吃一直到20天以后）。心情跌到了谷底，因为我的周期虽然长，但一直都有明显的双相，升温和降温都不错，高温天数也维持在12～14天。怎么这个周期这么奇怪？

第四个周期（2006年1月）

这个周期开始的时候我决定停吃叶酸一个月，看看到底是不是由于叶酸的问题导致我上个周期比较乱。这个月由于快过年了再加上工作上的事多，我一直忙忙碌碌的没怎么想排卵的事，因为根据我的推测，我的排卵应该发生在第20天，也就是春节放假期间，这样我就可以从容安排同房的时间，唉，周末夫妻就是这么难，只有等长假的时候才能天天在一起。没想到大年29（1月27日）那天早上一起来，我就感觉到强烈的腹部疼痛，像是要排卵了，都好几个月没有这种感觉了，难道是要排了吗？我赶快拿排卵试纸一测，阳性！一算日子，今天才月经后第17天呀，这个月排卵提前了。后来我想了一下，这个月我吃大豆异黄激素只是从周期的第一天开始吃，吃了5天就停掉了，会不会跟这种方式有关系呢？因为看有个姐妹写过，说大豆异黄激素最好只吃5天，不要全周期吃，更有效果。

但发现排卵我心情就更郁闷，因为这天虽然放假了，可我还没有到老公那里去呀，只有第二天才能过去，这样能来得及吗？心里急死了。当天晚上8点多钟，小肚子非常不舒服，我去外面送了个朋友回来，几乎路都走不动，胀痛得难受。估计是晚上9点或10点排的。第二天（1月28日）就好了，这一天我去了老公那边，但是一直忙着跟朋友吃饭，直到晚上12点才同房，我在心里叹息：又没戏了。

之后的几天还是每天早上测体温，但我一点都不抱希望了，体温也不怎么高，因为我排卵那天的低温好像只有36.3° C左右，升温以后是36.7° C，一直维持了5、6天。但这次有个奇怪的现象，就是好像从排卵后第3天开始，我的乳头就非常涨，乳头也很敏感，不能碰。老公还开玩笑说：这么大是不是怀孕啦。这种胀的感觉一直持续到春节长假放完回到公司上班。2月7日的时候，下午上着班我的肚子感觉刺刺的痛，在右边的位置，我揉了两下，心想晚上回去还是确认一下是不是怀孕了，如果不是我要赶快报个瑜伽班，好像突然间变胖了不少。

结果晚上测的早孕试纸，可以明显看到一条浅浅的细线，虽然看不太清楚，但是确实有！以前不管怎么样用早孕试纸，上面从来都是干干净净的，所以我觉得不大像诈胡，这一天是我排卵后第10天。之后就开始每天测排卵和早孕试纸，并于2月14日与2月16日分别去医院测了HCG，14号是835，16号是4000，确定好孕了。

怀孕后的症状

- ◆ 乳房和RT的胀痛感比较明显，而且比平时月经时的胀痛要厉害，乳房明显感觉长大了一圈。
- ◆ 感觉累。我在排卵后的几天曾经打过羽毛球，但是感觉非常累，好像坚持不下去的样子，这个是平时没有的。
- ◆ 明显感觉长胖。
- ◆ 胃口奇好。
- ◆ 有第三层体温。要特别说一下前几天在一个帖子里学到的第三层体温，我发现我这次的体温就是这样，排卵后前面6天的温度都是36.7℃左右，到第7天升到36.9℃以上，非常明显。所以如果姐妹们明显观察到第三层体温，那就说明有可能怀孕了。

再次感谢非妈，从播种网和非妈那里我学到的太多太多了！

CHAPTER

第8章

非妈助孕法6 找准受孕时机，选择合适的同房方式

我在播种网写过一个帖子叫《千方百计，提高受孕率》，受到网友们的热烈欢迎。我在帖子里总结了提高受孕率的几大措施：

（1）放松心情，减轻紧张情绪；

（2）改善老公的精子质量和数量；

（3）采用合适的方法，了解自己的生理状态，找准排卵日；

（4）了解子宫的位置，采用合适的同房方式；

（5）实施一种每对夫妇都可以做的助孕方法。

前两项措施，我在前面的章节里已经介绍过了，本章，我将重点介绍后面3项措施，希望这些措施能够着实地帮助大家提高受孕率，顺利怀上宝宝。

找准排卵日，轻松提高受孕率

提高受孕率最关键的是要知道自己正确的排卵日。因为在排卵日前后同房是最容易受孕的。

要知道哪一天排卵，能够使用的方法很多：根据月经周期推算排卵日，根据体温曲线查找排卵日，通过B超监测查找排卵日，通过排卵试纸查找排卵日，借助白带拉丝现象预判排卵日等等。这些方法各有各的优势，也各有各的不足。

◎最基本的方法

最基本的方法是测基础体温。每天测体温，绘制出基础体温曲线，如果曲线有明显的双相，在低温向高温过度时出现一天明显的低温日，那么这个低温日很可能就是排卵日。

不过测基础体温是比较麻烦的，而且准确率不高。因为测体温的要求比较高，比如要求有充足的睡眠时间，要求一醒过来不能做任何动作，还要求每天基本上在同一时间内测，一旦这些条件有变动，测到的数据就不准，加上如果身体有些不舒服，得到的数据就更加不准确了。

◎最直观的方法

最直观的方法是B超监测。B超能直观地看到卵泡发育的过程：卵泡是在正常发育，还是萎缩了；卵泡长到多大了；卵泡是不是黄素化了等等。我们可以根据B超监测到的卵泡的大小，而预估会在哪一天排卵。

不过，B超监测也有一个很大的不足，就是它只能看到有一颗很合格的卵泡躺在那里，但这个卵泡是不是一定能排出就不得而知了。因为要使这个成熟卵泡排出卵巢还需要有一个扣动扳机的动作，而这个“动作”B超是监测不到的。

◎最便利的方法

最便利的方法是使用排卵试纸。前面提到，要使卵泡排出卵巢，必须有一个扣动扳机的动作，那就是LH（黄体生成素）要形成一个脉冲，突然出现一个LH的高峰，有了这个高峰，卵泡就会破裂，就会从卵巢排出，排卵试纸就是去测这样一个高峰，一旦测到了，就说明快排卵了。

但是，排卵试纸是一种定性的方法，即使出现了阳性，你并不确定是不是已经到了高峰，所以这个时候你要增加测的频率，原来一天测1次，这时你最好一天测2次，甚至3次，当看到颜色由深变浅时，就能够肯定上一次你测到的就是最高峰了。

随着技术的进步，市面上出现了一种比普通排卵试纸精确和直观得多的一种新型试纸——LH半定量不孕试纸。这种试纸能够用比色的方法测到一组具体的LH的数据，把这些数据连成一条曲线，就可以清楚地看到LH出现的一个高峰，从而判断出正确的排卵日。而且根据曲线的形状，你还可以分析自身的排卵缺陷，是多囊卵巢，还是卵泡黄素化，或者是根本无排卵，从而确定下一步应该如何做。

◎最自然的方法

最自然的方法是观察白带拉丝。在排卵前1～2天，雌激素会出现一个高峰，这个高峰使子宫颈分泌大量分泌物，这种分泌物像蛋清，清而稀薄，可拉成10厘米左右的长丝而不断，这常常就是接近排卵日的征兆。

这个征兆是自然而然发生的，它不像使用其他方法时会造成紧张的情绪，当你上卫生间时忽然发现有白带拉丝出现，这就提醒了你排卵日快到了。

不过，由于排卵的发生并不是雌激素控制的，所以当雌激素到达高峰，出现白带拉丝，也不一定就会出现排卵，所以，这种方法并不绝对。

◎ 非常规的方法

不能作为常规使用的判断排卵的方法是利用排卵期出血和排卵痛。排卵期出血和排卵痛是排卵过程中出现的现象，我们可以利用这种现象来预判排卵日。需要提醒的是这种现象并不是每个人都会有，也不是每个月都会有，所以只能作为一种辅助判断方法，而不是常规方法。

2 通过基础体温来找排卵日

女性的生殖激素比较复杂，并且总是在不断地变化着，所以女性的基础体温就会出现波动。正常女性的基础体温以排卵日为分界点，呈现前低后高的状态，也就是所谓的双相体温。

对温度中枢起作用的激素，最主要是孕激素，因此体温曲线的走向，大致反映了孕激素的波动。在排卵前，孕激素主要由肾上腺分泌，量很小，所以体温曲线呈低温状态，排卵后，卵子排出的地方变成黄体，黄体分泌大量的孕激素和雌激素，为受精卵着床作准备，于是体温急剧上升，呈高温态势。

根据基础体温（BBT）曲线，你可以作出比较正确的判断，在低温向高温过度的时候，会出现一个极低温，这个极低温往往就是你的排卵日，因为卵泡破裂的时候，雌激素会激烈下降，而雌激素的下降就会影响到体温。

◎ 基础体温曲线呈双相的误导

基础体温曲线双相，是不是说明一定发生了排卵，在过去，大多数人认为是这样。但是，现在发现情况并不这样简单！

在这样两种情况下，没有排卵，也会有孕激素产生，而造成基础体温曲线双相的假象：

（1）直径小于15毫米小卵泡黄素化；

（2）直径大于20毫米大卵泡不破，未破卵泡黄素化。

第一种类型是卵泡到了15毫米左右不长了；另一种类型是卵泡继续长下去，直到20毫米以上而就是不排。这两种类型，都能够使孕激素升高，使基础体温曲线表现为双相，子宫内膜也会出现分泌现象，这种状况，就是很有经验的医生也难以做出明确诊断。

在基础体温曲线双相的女性中，出现这样误导的比例为13%～44%，因此，大家要切记：**基础体温曲线双相不能作为排卵与否的唯一标准。**

◎ 基础体温曲线呈单向者也有排卵

既然基础体温曲线双向不能作为排卵的唯一证据，那么单相体温呢？单相体温是不是可以作为不排卵的证据呢？也不能！

在大部分情况下，单相体温的确表示没有排卵，但是，临床病例调查发现，也并不是十分绝对，存在着许多例外。

体温的变化，是因为孕激素的波动刺激了体温调节中枢，使基础体温升高或者降低，但是有些女性，体温调节中枢对孕激素的反应并不敏感，虽然孕激素在波动，但是体温却没有升降，始终保持着恒温状态。

所以，单凭基础体温曲线来判断是否排卵存在着很多不确定因素，要确切知道是否排卵一定还要同时使用其他的方法才行的。

3 通过拉丝来找排卵日

告诉姐妹们一个常识，一旦出现清亮透明而且可以拉成长丝的白带，那么预示着排卵的日子快到了。

这是什么原理呢？女性的排卵是一项重大的生理活动，在排卵前，内分泌就开始活跃起来，在排卵发生前的82小时（平均值），雌激素会达到一个高峰（200～500pg/ml），这个时候子宫颈在雌激素的作用下分泌出大量的蛋清一样的含水量十分丰富的白带，可以拉成长丝。为什么会出现这样的情况呢？主要是为了让精子能够顺利地进入子宫颈。

在平时，白带呈混浊黏稠状，量也不多，但是在月经中期接近排卵日时，宫颈内膜腺体细胞分泌功能旺盛，白带明显增多，呈蛋清状，稀薄透明。这实际上是女性为迎接精子进入子宫而铺设的红地毯！精子没有双脚，只有一条尾巴，只能摆动尾巴游泳前进，于是女性就在主要的通道上充满了液体，帮助精子顺利通过，这是多么良苦的用心啊。所以，当你觉得分泌物明显增加，并且可以拉成长丝的时候，你要警觉，排卵日马上要到了。

那在白带出现了很长的拉丝以后，具体会在哪一天排卵呢。告诉大家，这个时间不是一个固定值，为1～4天后。为什么不是一个准确的数，而是一个范围？这是因为个体的差异实在太大了，有的人雌激素的高峰出现在排卵的前1天，有的人出现在排卵的前3天，所以如果你的润湿期比较长，就应该在润湿期的最后一两天同房。当然，在润湿期应该同时用排卵试纸来测试，因为雌激素的高峰会诱导LH峰值的出现。只有出现了LH的脉冲，才会真正触发排卵，所以你在这个时期内，一定可以用排卵试纸测到这个强阳的，也只有出现了这个强阳，才能够确定排卵的事实！

也有一些特殊情况，润湿期已经过了，而强阳仍然没有出现，说明什么问题呢？说明雌激素正反馈诱导LH高峰失败，女性的性轴线出现了一些障碍，导致事实上的排卵并没有发生。所以，在分泌物与LH的高峰两者之间到底应该相信谁？当然应该相信LH的高峰，没有LH峰值的拉丝是不完整的。

4 通过B超监测来找排卵日

前面讲到，B超监测排卵最为直观，它可以看到卵巢内有几个卵泡在发育，大小是多少，是不是已经接近排卵的时间等等，但是它不能够确定这个卵子是否一定会排出。

在几种B超方式中，以阴道B超最为准确。**如果你的月经周期是30天，那么第一次去做B超监测的时间可选择在月经周期的第13～15天，通常是月经周期的第13天。**

卵泡的发育是有规律的，经过大量统计我们得出，在排卵前3天，卵泡的直径一般为15毫米左右，前2天为18毫米左右，前1天达到20.5毫米左右。知道了这个规律，你就可以通过B超而推算出排卵日了。

也有例外的情况，有的人卵泡发育到一定程度后，不排卵，反而萎缩了；有的人卵泡长到20毫米以上不排卵，继续长大，最后黄素化了。出现这些情况都是不正常的，需要治疗处理。

5 通过排卵痛和排卵期出血来找排卵日

在女性生殖期，由于受激素的影响，卵泡逐渐发育成熟，卵泡中充满液体，随着压力的增加向卵巢表面膨出。当压力大到一定值时，卵泡破裂，卵子排出，此时常伴有极轻微的出血。当出血刚好正对着腹膜（一层环绕腹腔的坚韧薄膜），就可刺激腹膜产生隐隐约约的轻痛，就称之为“排卵痛”，在极少数情况下出血较多，疼痛就更明显。这种疼痛的感觉正好提示你排卵正在发生，是同房的最佳时机。

当然，你要完全依靠这种疼痛的感觉去确定排卵日，那肯定是不行的!两个原因：一、女性的腹腔内集中了很多的器官，你不能确定轻微的疼痛一定是排卵痛；二、不是每个人都会有排卵痛，也不是每次排卵都会有排卵痛。所以，当不出现痛感的月份，你就可能错过真正的排卵日。因此，通过排卵痛和排卵期出血来查找排卵日只能作为一种辅助方法。

通过排卵试纸来找排卵日

卵泡是在促卵泡成熟激素（FSH）和黄体生成素（LH）的作用下发育成熟的。在排卵前的24小时内，LH会出现一个高峰，我们可以用排卵试纸来检测这个高峰。当试纸第二条线的颜色接近，一样或者超过第一条线的颜色的时候，我们就知道在24小时内要排卵了。但是，我们很难判断颜色接近的时候就是高峰了？还是明天会继续加深？ 所以，要求在这个时候每天测两次或多次。如果发现第二条线的颜色开始变浅了，那么前一次测的就是高峰了。

用普通排卵试纸看颜色不是很方便，现在市面上又出现了一种更方便、更准确的试纸——LH半定量检测试纸。这种试纸可以测到体内很低水平的LH值，最低能够测到5mIU/ml。利用这种试纸，你可以每天测到一个LH的具体数值，把你每天测到的数据填入一个表格中，再把这些点连起来，就能够得到一条LH的变动曲线。从曲线可以很清楚地看出你的排卵状况，很直观，带有诊断性质。

排卵试纸使用的常见疑问（1）——为什么测不到强阳

普通的排卵试纸采用上下线比色的方法，当下线近似或明显深于上线颜色时，表明LH高峰出现了！ 它固定了一个LH的参照值。这种试纸准确性不高，原因就在于这个参照值的设定。

目前市场上的大部分的排卵试纸是国外的OEM产品，也就是说国内的厂商是为国外市场生产的。因此上线的值是根据欧美人的水平设在40～50国际单位；而国内的女性，她们很大一部分人的峰值是在25～40国际单位，这样一来，即使排卵正常，下线的颜色也永远不会深于上线。

所以很多姐妹都在问：为什么我总是测不到强阳？

如果把参照值定得低一点又怎么样呢？比如定在25国际单位，这样一来，很多女性就会出现在很多天都测出了强阳，根本无法判断哪天是真正的峰值。真是左也难，右也难！

排卵试纸使用的常见疑问（2）——LH是怎么波动的

姐妹们经常提出一个问题：从出现第二条线到强阳大概要多少天？

我现在来告诉大家一个经过统计出来的一般规律。育龄女性身体内，始终有LH存在，尿中的LH值在0～10之间波动。随着卵泡的发育，到排卵前三四天，LH平均值达到16.5，这时，已经可以测到弱阳；到排卵前2天，LH平均值达到26.75；到排卵前1天，LH突然出现高峰，约为59.7；到排卵当天，LH又快速下降至10～25。也就是说LH的高峰实际上只是一个脉冲。

有些人，看到刚出现的强阳几个小时后又不见了，很是疑惑，不知道是怎么回事。其实，这是最正常不过的情况了。在这里，我要说的是：凡是突然出现强阳又突然消失的女性，是激素水平波动非常标准的女性。

排卵试纸使用的常见疑问（3）——为什么要扣动扳机

卵泡在促卵泡素（FSH）和黄体生成素（LH）的共同作用下，慢慢地发育成熟。但是，卵泡发育到什么时候会排出卵巢呢？是谁在控制卵泡破裂和卵巢排出的呢？

最主要的控制者就是LH。卵子躺在卵泡里面，就像一颗子弹躺在枪膛里，要让它发射出来就要扣动一下板机。而扣扳机是要用力的，这就是一定要出现一个LH脉冲，让LH出现一个高峰。如果没有出现LH的脉冲，卵泡会不断地长大，甚至大到30毫米以上也不排，最后黄素化了。

我们使用排卵试纸就是去测有没有出现一个LH的高峰，也就是有没有发生扣动扳机这样一个动作。

排卵试纸使用的常见疑问（4）——扳机扣动了，什么时候发射

如果用排卵试纸测到了强阳，测到了LH的高峰，姐妹们都会很激动，接下来马上就会问什么时候会真正排卵。

借助于大量的统计资料，发现82.6%的人排卵是发生在峰值的24小时内，17.4%的人排卵是发生在24～48小时内，因此一般的结论是：**排卵发生在强阳后的48小时内。**

不过你如果真的在强阳后的48小时内同房，那肯定是有点晚了，毕竟100人中有83个人是在强阳后24小时内排卵的。

强阳后24小时内排卵其实也太过笼统：1个小时是在24小时以内，23个小时也是在24小时以内，相差太大了！所以，如果再把这83个人的排卵时间进行统计，那么，相对准确的时间是14.3～19.5小时。这个时间适合大部分人。

排卵试纸使用的常见疑问（5）——B超监测卵泡，还要用排卵试纸吗

医院是很愿意为大家做B超的，B超可以直观地看到卵泡的大小、形状，当卵泡发育到一定大小时，医生会建议你们同房，但是会100%成功吗？也不一定！

医生看到了卵泡的大小，看到有一颗合适的“子弹”在那里，但是看不到扣动扳机的动作——一个LH的高峰！如果没有这个高峰，卵泡就不会破裂。没有LH高峰的卵泡会向两个方向发展：一个是继续发展下去，直至黄素化；一个是萎缩变小，最后不见了。

我建议姐妹们先用排卵试纸测试，当出现了第二条线后再去做B超，避免过早而不必要的B超，到卵泡发育成熟时，更应该用排卵试纸加紧监测这个高峰的出现。

双管齐下，成功的把握就大了！

12 排卵试纸使用的常见疑问（6）——为何会测出异常情况

许多姐妹使用了排卵试纸，测到了正确的排卵日而成功了，但是也有些姐妹使用了排卵试纸，非但没有成功，反而徒增了不少烦恼。

有些人强阳连续测到了3天以上，这样，就存在两种可能性，一种是有排卵发生，它一般发生在最后一天的强阳以后；另外一种是没有排卵的持续高峰。假如在短时间内测到了双高峰，就有黄素化的可能。

有的姐妹，从月经一结束就测到了弱阳性，而且这个阳性几乎没有什么变化，那么你这个月可能没有排卵，非但没有排卵，还可能存在“多囊”了。

一旦发现你使用排卵试纸，出现的现象并不符合一般的规律，我建议你做这样的选择：

（1）去医院作B超监测；

（2）使用更科学的LH半定量检测试纸，查看到底存在什么问题。

关于找准排卵日的几个常识问题的补充

问题一：排卵是不是发生在白带拉丝最长的那一天?

这是许多人的疑问。子宫颈分泌大量蛋清状透明的能拉成长丝的分泌物，是雌激素到达高峰的结果，而这个高峰有时候在排卵前82小时就开始出现了，就是说，有些姐妹拉丝现象会连续存在3天，甚至3天以上，而真正排卵是发生在3天以后，在拉丝现象快结束的时候。所以千万不要一看到拉丝出现，就认为是排卵日！你必须知道自己拉丝大约有几天的时间，再决定在最合适的那一天同房。

排卵是不会发生在拉丝最长的那一天的，这个结论有统计资料作为根据。姐妹们会问，在白带拉丝快结束的时候，阴道外面的分泌物已经很少，或许没有分泌物了，这个时候同房行吗？没有问题的，虽然外面已经没有分泌物了，但是只要你深入阴道，在子宫颈处，那里还有大量分泌物存在，完全能够方便精子进入。

知道了这一点，你就会不慌不忙地处理这个问题了。

问题二：排卵是不是一定发生在低温的那一天?

当姐妹们向我提出这个问题时，我总是回答：是的。但仔细想想，这个答案也并非绝对正确。生理现象很复杂，因人而异基础体温预测排卵就是这样。

我现在就向大家介绍某医院所做的相关统计：在一批被测量的人群中，低温出现在排卵当天的占39%左右，出现在排卵前1天的占20.5%，前2天的占16%，出现在排卵后一天的占11.4%，后2天的占6.8%，甚至还有低温出现在排卵后第3天的。

按照这个数据，排卵发生在低温那一天的，只对39%的人来说是正确的，许多人排卵是发生在升温阶段，即在低温后的第2天或者第3天，所以即使在升温阶段姐妹们也不能够放过机会。

问题三：出现不一致的时候到底以哪个为准？

确定排卵日有很多种方法，通常都是几种方法联合使用，当依据不同的方法同时出现明显的排卵征兆时，自然很理想，十分完美，说明排卵基本是肯定的，而且时间也很容易确定。

但是不是所有人都会这样幸运，往往依据一种方法测出排卵征兆时，而另一种方法却迟迟不出现任何征兆，尤其是基础体温和排卵试纸，合拍的时候很少。每当这个时候，大家就会问：我到底应该相信哪一个，体温还是试纸？

要知道正确的答案，就需要知道这些方法的精确度。比如说基础体温和试纸，由于体温锁定的时间太宽，在排卵前后3天都有可能出现低点，因此很难说低温日就是排卵日；而排卵试纸90.9%的人集中在排卵前一天出现高峰，4.5%的人出现在排卵当天，显然它的精确度要高得多！所以当这两种方法出现矛盾时，应该以试纸为准。

14 适合自己的同房方式，才是最好的

要想提高受孕率，除了找准排卵日外，还应该充分了解自己的生理特征，尤其是子宫的位置。大家应根据子宫位置的不同而采取不同的同房方式，这也是提高受孕率的关键。

精液射入阴道，经过充分液化后，会聚集在阴道穹隆内，形成一个精液池，要想提高受孕率，就应该尽量让子宫颈口浸入精液池中，这样精子就会比较顺利地通过子宫颈而进入子宫。如果子宫颈口没有浸入精液池中，那么

对于小小的精子来说，子宫颈就是一座难以逾越的大山。

女性的子宫位置是不同的，一般有两种：子宫前位和子宫后位。**对于子宫前位的女性来说，合适的同房方式是男方俯卧在女方身体上，面对面。**为了增加受孕的机会，同房后，女方可在臀下垫个枕头，使骨盆向上方倾斜，这样子宫颈就正好浸在精液池中，保持该姿势半个小时。**对子宫后位的女性来讲，可采用后入式，男方从女方的后方进入，同房后采用俯卧式，在腹部下垫个枕头，这样子宫颈也正好浸在精液池中，保持该姿势半个小时。**

另外，在射精以后，如果女方立即站起来，精液可能会流掉，阻止受精。因此在同房前，女方应该排空膀胱，以免有尿意而起身。同时，同房后也应当避免洗澡。

15 一种可以自己施行的助孕法

前面介绍了，为了让子宫颈尽可能地浸入精液池，使精子顺利地进入子宫，我们要采取适合自己的同房方式。在这里，我还想介绍一种可帮助精子顺利进入子宫的方法，你可以试一试。

同房后，将事先洗干净的手指探入阴道，这时手指上会沾满精液，然后将沾在手指上的精液设法涂在子宫颈上，不需要任何引导，精液们立即会知道如何进入子宫，用手指这样涂上10次左右，就会有数不清的精子进入子宫，这样一来，受孕的机会就会提高许多。

这件事情，可以自己做，也可以让老公做。这是每一对夫妇都能够做到的事情，大家尽可以试一试，并欢迎登录播种网（www.seedit.com）把实践的结果反馈给我，如果的确有效，我将会把它命名为“非妈助孕法”。

“未准3个月，第4个月，天使成功升级了！”

现在是排卵后第13天，试纸阳，早孕试纸弱阳，应该是好孕了。

今年1月28日，经过4年多的马拉松式恋爱，我终于成为他最美丽的新娘。3月份我们决定要小宝宝。以前对怀孕的事一点也不懂，本以为不用避孕套就可以马上怀孕，其实事情没有想象中简单。4月份加入了播种网，认识了非非妈妈，才知道怀孕这件事有那么深的学问，于是开始恶补知识。

我的例假一向很准，每个月都是排卵试纸测到强阳后同房的，可能是因为怀孕过程真的很复杂，成功概率不大，所以试孕了3个月都没有成功。

下面简单讲一下我的基本情况。

（1）体温情况。我的基础体温曲线是双相，排卵前会降0.3℃，排卵后再升0.5℃，月经日马上降下来，每个月都如此。

（2）排卵情况。我的排卵试纸显示和体温显示是相吻合的，排卵日前两天测出弱阳（姐妹们一旦测出弱阳了，就应该加大测排卵的力度，应该半天测一次了），排卵日为阳或强阳，排卵后变为阴或弱弱弱阳。如未孕则排卵后10天测仍为阳，那么早孕试纸也就不用浪费了。

（3）白带拉丝情况。在排卵日前3天会开始出现白带拉丝，排卵日当天的拉丝很透明，可拉得很长。

（4）排卵痛。在排卵日当天，下腹左侧或右侧会有酸酸的感觉，就当天有，过后就没有这种感觉了。

下面接着介绍这个月成功的经历。

我首先根据前面提到的4种情况，综合判断出排卵日，在准确地确定排卵日之后就要做好功课了。我是在排卵日前4天停止同房的，为的是多保存

“子弹”嘛！测到强阳了就同房，隔36小时之后排卵试纸变为弱阳，表示已经排出来了就再同房。同房时要放松心态，制造浪漫氛围，做好前戏工作后再同房，让彼此有强烈的兴奋情绪，这样更有利于怀孕。非妈说过弄清楚自己子宫的位置很重要，我没有做过检查，不知道是前位还是后位，因为前3个月是当子宫前位处理的，同房后在屁股下面垫垫子，没什么效果，这个月就决定改用趴着。最后我用了“非妈助孕法”，我想多半是这个的功劳吧！

对于子宫位置的确定，姐妹们一定不要学我，要去医院检查一下，很简单的妇科检查就能确定的，对怀孕也是很有帮助的。

以下是我的监测情况：

6月13日，月经，体温36.5℃；

6月18日，月经后第6天，体温36.3℃，同房；

6月24日，月经后第12天，体温36.4℃，同房；

6月26日，月经后第14天，排卵试纸阴，体温36.3℃；

6月27日，月经后第15天，排卵试纸弱阳，体温36.4℃；

6月28日，月经后第16天，排卵试纸弱阳，体温36.3℃；

6月29日，月经后第17天，排卵试纸强阳，体温36.2℃，同房，有排卵痛感；

6月30日，排卵后第1天，排卵试纸弱阳（已排出），体温37.1℃，同房；

7月3日，排卵后第4天，体温37.1℃，同房；

7月6日，排卵后第7天，排卵试纸阴，体温37.2℃；

7月7日，排卵后第8天，排卵试纸阴，体温37.0℃，乳头压痛，有拉肚子的痛感，感觉要来月经；

7月8日，排卵试纸后第9天，体温37.0℃；

7月9日，排卵后第10天，排卵试纸弱阳，体温37.1℃；

7月10日，排卵后第11天，排卵试纸弱阳（颜色更加深了），体温37.1℃，肚子时痛时不痛；

7月11日，排卵后第12天，排卵试纸阳，早孕试纸显示为弱阳（不是水印，是粉色线哟），哈哈，成功了！

因为老公出差了，所以只能我一个人看着自己一天天的变化，很高兴，等老公回家我再给他个大大的惊喜，给他看我贴好的排卵试纸、早孕试纸，看他会不会高兴地跳起来，哈哈！

总结一下，我想我能顺利升级，播种网和非妈功不可没。我把在播种网所学的东西都用上了，我测了体温、用了排卵试纸、观察了白带拉丝的情况，最关键的我还运用了“非妈助孕法”。建议姐妹们在试孕时注意以下几点：

◆ 通过排卵试纸、体温、拉丝情况、排卵痛综合准确判断排卵日对怀孕很重要。

◆ 及时做好功课，排卵日前四五天停止同房，多保存点“子弹”，同房质量尽量高点。

◆ 同房后按子宫位置做好保护工作，尽量不让精液流出来，运用“非妈助孕法”。

◆ 同房后等待结果的日子很漫长，多找点自己喜好的事做，放松心情，不要想太多，注意用体温和试纸来跟踪，做好记录。

就总结这些吧，时间仓促，还有很多不完善的地方，希望对大家有帮助。姐妹们，大家一定要放松心情，做好功课，相信好孕很快会降临的！

“终于升级了——好孕报告”

怀孕经历

我一直以为只要不避孕就会好孕的，没有测排卵，大概算了个日子同房，结果连续失败了3次，事实证明前面算的排卵的日子不准确。

第3个月开始用排卵试纸测试排卵，从月经后第10天测到第16天，都没有出现强阳，以为自己没有排卵，开始担心了。

第4个月我准备从月经结束后就开始测排卵，如果连续测一个月都没有强阳就证明真的没有排卵，那就要去医院检查了。我从月经结束后第6天就开始测，一直测到第17天的时候出现了强阳，晚上同房，结果第2天一早有事情和老公去了外地还带着侄子，晚上3人住宾馆，没有机会同房，这个月也失败了。

第5个月开始也是连续测试了十几天，和上个月一样，在月经的第16天测排卵，显示弱阳，同房了一次。测到强阳的时候又同房了一次，后来强阳持续了两天，转弱后也同房了一次，后来老公说自己没有力气了。之后一直等结果，以为这月一定中了，可后来月经推迟了4天来了。那段时间感觉自己都有好孕的症状，后来想想是自己太紧张造成的。

（5）这个月真的开始担心了，担心是不是自己的卵泡有问题或者老公的精液有问题，于是拉着老公去医院检查。医生先让老公检查精液，结果显示老公的精液是正常的。医生让我在月经第13天去做B超监测。我前后做了3次B超，在月经第16天的时候发现成熟卵泡，医生安排隔天同房，连续3次。在排卵第10天用早孕试纸测出了水印，随后一天比一天颜色加深，去医院确认怀孕了。

经验总结

◆ 这个月心情很放松，因为我不想生在7月份，7月太热了，所以就没怎么想，检测回来后就放松地同房。

◆ 我和老公都有吃维生素E，而且这个月还从非妈那里买了大豆异黄激素给自己吃，给老公买了番茄素吃，老公坚持喝了一个月的蜂蜜。

◆ 坚持测体温，了解自己的体温变化，和排卵试纸结合最好，正确找到自己的排卵日，然后隔天同房，并且两人要保持良好的身体和精神状态，放松同房。

◆ 这个月的4次同房，我都用了“非妈助孕法”，而且在同房后臀部垫高躺了半个小时。

最后要说的是，相信自己的身体，不要胡思乱想，不要把别人好孕的症状往自己身上套，更不要把别人不孕的症状往自己身上套，这样会影响心情，导致月经推迟或者提前。一定要放松，相信宝宝迟早会来的。

CHAPTER

第9章

非妈助孕法7 不孕不可怕，排除问题后就能怀孕

在本章的开头，我先为大家总结一下不孕不育检查的窍门。

（1）先检查丈夫。建议首先让男方做精液检查，如果精液检查正常，基本上可排除男方造成不育的可能，而且如果是丈夫的问题，多数就不需再做女方检查了。

（2）女方检查应遵循“渐进”的原则，采用“排雷法”处理。

第一步，做一般的妇科检查，看是否有生殖器官畸形以及阴道炎、子宫肿瘤等妇科病，若查出妇科病，则应先治疗，再实施怀孕计划。

第二步，查内分泌，同时可在月经的第13天开始B超监测卵泡生长情况，检查有无排卵。

第三步，检查输卵管。如果前面的妇科检查都没问题，则建议在月经干净后3～7天，做个输卵管通液检查，如发现输卵管堵塞则需治疗使之通畅。

第四步，如果前面的检查都没问题，最后建议查抗子宫内膜抗体、抗精子抗体等免疫方面的问题。

1 细说多囊卵巢综合征

在长期不孕的女性中，有一部分是因患上了多囊卵巢综合征，这种疾病会导致不排卵。女性一旦没有卵子排出，就和男性没有精子射出一样，怀孕就根本不可能了。

要知道自己是不是患上了多囊卵巢综合征，可以通过以下几个方法来判断。

◎激素检查

判断是否患上了多囊卵巢综合征，需要做一个激素检查，因为虽然多囊卵巢综合征的形成与许多因素有关，但是最终的表现形式是内分泌失调。大家拿到激素检查报告，就要仔细核对一下，如果你是多囊卵巢综合征，那么一定有些激素偏高，像睾激素、脱氧表雄甾激素、雄烯二激素、硫酸脱氧表雄甾激素（DHEA-S）、雌激素和黄体生成激素（LH）；有一些激素偏低，像雌二醇（E2）和卵泡刺激素（FSH）。

上面提到了很多专业名词，许多人会一头雾水，不知道是些什么东西。平常我们去检查激素6项，代表雄激素的英文字母是T（睾激素），但是有的姐妹拿到的激素报告中，代表雄激素的是D（脱氧表雄甾激素）、DS（硫酸脱氧表雄甾激素）或者A（雄烯二激素）了。你们看到了这些项目，就应该知道医生怀疑你患有多囊卵巢综合征了，如果医生不怀疑你是多囊卵巢综合征，一般不会特别去做D、DS或者A这些项目的。

下面介绍一些关于多囊卵巢综合征的基本常识。DS，95%以上是由肾上腺生成的，而多囊卵巢综合征的患者中50%的人表现为DS升高，所以DS是一个必做的项目。只要DS超标了，再加上LH/FSH（LH的数据除以FSH的数据）大于3，那么，多囊卵巢综合征是八九不离十了，有些医院，只要看到LH/FSH大于2就怀疑多囊卵巢综合征了。

◎ **B超检查**

除了激素分析，B超检查也可以发现多囊卵巢综合征的特征。多囊卵巢综合征患者在做B超检查时，能够清楚地看到双侧卵巢增大，表面不平；另外还可以在双侧卵巢内发现大小不等的（2～7毫米）卵泡多于10个，而没有优势卵泡，卵泡不能发育成熟，最后这些卵泡闭锁，卵泡膜细胞黄素化了。

◎ **身体异常现象分析**

因为激素的紊乱，患有多囊卵巢综合征的女性身体会出现异常。雄激素的升高会使部分女性出现多毛、肥胖以及微黑的棘皮症。患有多囊卵巢综合征的女性的基础体温呈单向型，无高低温的变化，无排卵迹象，或者表现为黄体功能不足。

运用上面3种方法进行综合分析，要确定是不是患有多囊卵巢综合征，是比较容易的，但是在确诊多囊卵巢综合征时，还必须与几种疾病区分开来：卵巢肿瘤，肾上腺皮质增生或肿瘤，甲状腺功能亢进或低减。这3种疾病与多囊卵巢综合征的症状很相似，必须请医生排除。

如果确定患上了多囊卵巢综合征，一般的治疗方法是用克罗米芬促排卵，若用了克罗米芬后还不能排卵，就进一步使用人绝经期促性腺激素（HMG）。在此，我想提醒姐妹们注意几个问题：

◎ 长期使用克罗米芬，由于卵巢受外界的LH长期刺激，会使卵巢的鞘膜细胞肥大；

◎ 使用药物促排卵后，能够排卵的比例是80%，而能够怀孕的比例只是40%左右。

2 漫谈高泌乳素血症

女性6项性激素中的泌乳素（PRL）是相对稳定的，在整个月经周期中不会有大的变化。如果泌乳素升高，超过一定的数值就会造成各种问题。在男性身上，主要表现为阳痿；在女性身上则表现为月经失调、溢乳及不孕。在医学上，把过高的泌乳素称为高泌乳素血症，又称溢乳—闭经综合征。

当你发现自己黄体功能不足，出现无排卵月经、月经稀发或闭经，同时用力挤压双侧乳房，有溢乳现象出现时，就要高度怀疑自己泌乳素超标了，这时应该去医院检查激素水平。

若泌乳素超过30ng/ml，就可以认为是泌乳素超标了，有些医院把标准定在25ng/ml。由于泌乳素受到许多因素的影响，如体力活动、睡眠、进餐或情绪紧张等，因此第一次检查发现其超标，但是超得不多时，可以复查一次，一般在上午10点左右取血测定最能反映真实水平。

当你拿到激素检查报告后，首先要注意泌乳素是否超标，当泌乳素在正常范围内，再看其他激素；如果发现泌乳素高了，其他激素通常不会正常。泌乳素水平升高，对下丘脑促性腺激素释放激素有抑制作用，导致垂体促性腺激素水平下降，因此使卵泡刺激素（FSH）及黄体生成素（LH）处于正常低限或低于正常水平，导致卵泡发育受阻，从而降低卵巢中激素的合成，最终的结果必然是雌激素水平低下。

使泌乳素升高的原因很多，其中最重要最常见的是垂体泌乳素瘤，瘤体直径超过1厘米称为大腺瘤；瘤体直径小于1厘米称为微腺瘤。垂体泌乳素瘤占患者的1/3～1/2。当患者血清中泌乳素>75ng/ml时，就要高度怀疑是这个原因；当泌乳素>100ng/ml时，患者垂体肿瘤的可能是57%；当泌乳素>160ng/ml时，垂体肿瘤的可能增加至89%了，当血清中泌乳素>300ng/ml时，几乎100%的患者是垂体肿瘤！

除了垂体泌乳素瘤外，其他下丘脑垂体肿瘤或疾病（包括空泡蝶鞍），甲状腺功能低下；肾脏疾病，某些药物（影响多巴胺受体和多巴胺生成的药物），甚至未发现任何原因的下丘脑功能失调，都会使泌乳素升高。所以，一定要查明原因，才能对症采取措施。

泌乳素升高是因为泌乳素抑制因子（PIF）即多巴胺的产生和转运受阻，使垂体泌乳素细胞失去抑制性控制造成的。垂体泌乳素细胞是产生泌乳素的源头，而下丘脑神经原产生的多巴胺通过神经末梢进入垂体门静脉对垂体泌乳素细胞产生抑制性控制，使泌乳素维持在正常水平。所以，多巴胺相当于调节水库水量的大坝，作用是相当大的。

高泌乳素血症应对症下药：**吃药引起的，停药后症状都能自行消失；甲状腺功能低下，肾功能不全或颅内病变导致者，则应采取相应的内外科手段积极治疗原发病；除了以上病因，对于其他大量的特发性高泌乳素血症及垂体泌乳素瘤的患者，几乎都可以用“溴隐亭”来进行治疗。**

“溴隐亭”是突发性高泌乳素血症的首选药品，它直接作用于垂体，抑制催乳素细胞的增殖，使垂体瘤缩小；刺激中枢神经系统的多巴胺受体，降低多巴胺在体内的转化，促进泌乳素的代谢。所以对高泌乳素血症是十分有效的。

“溴隐亭”服药1周后，血清泌乳素浓度即可下降；服药2周后，一般溢乳现象就可以解决；服药4周后，95%的闭经者可以恢复月经，90%的患者可以恢复排卵功能；当溢乳和闭经症状消失，血清泌乳素浓度下降以后，嗅隐亭的服用量就可以减少，但是请不要马上停药，突然停药有可能会引起反弹!

有些姐妹不适应溴隐亭，服用以后反应极大，恶心呕吐不止。这时候应该改变给药方式，可以将“溴隐亭”塞入阴道深处。由于生殖道上皮来自副中肾管，对药物有良好的吸收作用，而且阴道的酸性条件有利于吸收，所以阴道给药后99%进入全身血液循环，避免了直接通过肝脏代谢，能更好地发挥药物的作用，也明显减轻了胃肠反应。

除了“溴隐亭”，另外有效的药物有左旋多巴和维生素B_6。左旋多巴在体内代谢为多巴胺，多巴胺直接作用于垂体，降低泌乳素的水平，缓解症状。维生素B_6起到了辅酶的作用，增加下丘脑中多巴向多巴胺的转化率，因而抑制了垂体泌乳素细胞的分泌。只是维生素B_6的服用量要较大，而且要较长期服用才有效。

泌乳素降低之后，从理论上说，内分泌就会恢复正常，但是由于个体差异极大，恢复正常排卵功能的时间就有迟有早。高泌乳素患者在治疗的同时， 如果发现排卵功能恢复不快或者黄体功能不足而影响受孕时，应及时使用药物促排，争取尽早怀孕。

3 说说高雄激素症

女性体内的雄激素不是一种主要激素，但是又不能没有它，缺少了它，女性就不是真正意义上的女性。女性个体外表的毛发与阴毛、腋毛的生长完全是因为雄激素，而外生殖器如外阴部分的阴蒂、阴唇和阴阜，其发育更是与雄激素的参与密不可分。

雄激素还有一个非常重要的作用，就是在女性怀孕后，在生殖道发育到临界期之前的胚胎时期，它使大脑和生殖道向男性分化。

众所周知，胎儿的性别是由染色体决定的，然而如果没有其他因素影响，胎儿的大脑和生殖道的基础发育总是向女性的方向发展，这个现象如同电脑的默认程序一样，打开电脑，总是跳出这个被默认的窗口。如果没有雄激素的存在，即使是男性个体，生殖道也将发育成女性型，成熟的个体表现为女性的性行为，这就是男性胎儿女性化。

医学手册上列出了女性血浆睾激素（T）的正常参考范围（放免法）：**青春后期为100～200ng/L；成人为200～800ng/L；绝经后为80～350ng/L。**不过因为化验方法不一样，各个医院的参考值可能与医药手册的数据有些出入。

其实，几种性激素（孕激素、雄激素和雌激素）都称甾体激素，它们的化学结构几乎是一样的，其区别只是碳原子数量不同而已，譬如孕激素有21个碳原子，雄激素有19个碳原子，而雌激素有18个碳原子。也就是说雄激素只要去掉一个碳原子就变成了雌激素，在女性体内，也确实有很大一部分雌激素是由雄激素转变而来的，所以雄激素实际上是雌激素的前体（底物）。如果女性体内不能产出雄激素了，那么雌激素的水平肯定也不会很高。

不过，雄激素不会自然而然地转化为雌激素！就像豆腐是由豆浆做成的，但是豆浆不会自然地变成豆腐，必须加入某种物质，如石膏或者盐卤才能转化。雄激素的转化也是如此，它需要一种酶，这种酶叫做芳香化酶，这些酶的存在使女性体内出现的雄激素被源源不断地芳香化成雌激素，保证了女性有一个以雌激素为主的激素环境。

芳香化酶存在于女性的大脑和卵巢里，这些酶很重要，就像是豆浆能够变成豆腐的关键因素。男性的睾丸因为没有这种酶，产生的雄激素还是雄激素；而女性的卵巢里有这种酶，所以能够使雄激素芳香化成雌激素，所以男女性别的不同与其说是因为雌、雄激素不一样，不如说是因为酶不一样。

每一个女性体内都有芳香化酶，所不同的只是数量和活力有差异，一旦有人芳香化酶的数量和活力不足，就有可能出现雄激素含量过高、活性过强，雌激素低的状态。这种状态是一种病态，称为高雄激素血症。

高雄激素血症患者，其卵泡发育会出现问题，因为雄激素会使卵泡闭锁。当卵泡液中所含的大量雄激素不能被芳香化为雌激素，使雌激素的量快速增加，这个卵泡就会在发育途中被闭锁了。如果被闭锁的卵泡不是一个而是一群——左右卵巢总共有10个以上，那就患上了多囊卵巢综合征。

在不孕不育的人群中，患多囊卵巢综合征的比例有增高的趋势，由于它起源于慢性的高雄激素血症，因此是在不知不觉中形成的。人们在平时几乎从来不注意这两种促性腺激素（LH和FSH）的变化，要知道这两种促性腺激素直接影响到卵巢中雄激素和雌激素的比例。

LH作用于卵泡膜细胞，产生雄激素；FSH作用于颗粒细胞，产生雌激素。FSH另外一个重要作用是它诱发芳香化酶活动，使芳香化酶的活性增强。而芳香化酶的活性增强了，就能更有效地将雄激素芳香化为雌激素，使卵泡液中的雌激素含量增加。所以要保持LH和FSH这两个激素的比例合理，通过它们一系列复杂而又协调的相互作用，造就一个最佳的卵泡发育环境。而这两种激素合理的比例应该是1.5∶1，如果LH和FSH的比例高于3∶1，医生就会高度怀疑你患有多囊卵巢综合征。

对于高雄激素症，医生们首选的抗雄药是达英-35，学名为醋酸环丙孕激素（CPA），它是一种避孕药。自月经第5天起每日服用一片，连服21天。达英-35具有独特的抗雄作用，它竞争性抢占细胞中雄激素的受体，降低了雄激素的活性，通过肝脏增加雄激素代谢产物的清除率；有较强的抗促性腺作用，减少LH分泌，抑制卵巢雄激素的分泌。

长期无排卵的高雄激素症患者如能坚持服用达英-35，则既可调整月经周期，预防内膜增生及癌变，又可有效控制血中雄激素水平；对无生育要求的患者则能有效避孕，又能明显改善男性化等问题，是一种一举多得的治疗方法。

高雄激素症患者中，75%过多的雄激素来自卵巢，其余25%来自皮下组织和肾上腺，少数是肾上腺和卵巢肿瘤产生的。所以根据雄激素来源不同，还可以使用除达英-35以外的其他药物，例如地塞米松或强的松、醋酸赛普特尤、螺内酯等等。治疗的药物很多，姐妹们不能乱吃，一定要遵医嘱，对症用药。

激素紊乱也会出现避孕效果

性激素对于一个想要孩子的女性来说，真是非常重要！这些激素有规律的变化和精确的配合，促成每月一次的排卵，使怀孕成为可能。

女性进入育龄期，会出现每月一次的月经现象，月经周期的调节牵涉到下丘脑、垂体、卵巢及子宫。子宫内膜之所以有周期性的变化，是因为它受卵巢激素的影响、卵巢功能受垂体控制，而垂体的活动又受下丘脑的调节、下丘脑又接受大脑皮层的支配。

通常将下丘脑—垂体—卵巢合称为女性的性腺轴。一旦建立起这条稳定的性腺轴，在它协调一致的作用下，其分泌的性激素将女性的月经周期区分成3个明晰可辨的不同区间：卵泡期、排卵期和黄体期。

◎ 卵泡期

在月经期的初始阶段，也就是来例假的时候，下丘脑会发出一个信号给垂体，让垂体分泌两种促性腺激素：FSH和LH。FSH 作用于卵巢，启动卵巢中一个或者几个卵泡的发育。女性的卵巢中储藏着与生俱来的无数个卵细胞，但是通常处在休眠状态，只有在促性腺激素的作用下，才会发育成熟。若没有促性腺激素的促动，它们就只能长眠不醒了！伴随着卵泡的发育，雌激素不断地增加，雌激素是和卵泡一起出现、一起增加的激素，它一方面促使卵泡长大，另一方面和FSH一起在卵泡中诱导出黄体生成素（LH）的受体，为卵子的排出和排出后形成合格的黄体作准备。

20毫米左右的卵泡是即将破裂与排出卵子的成熟卵泡。生成成熟卵泡的这段时间称为卵泡期。在整个卵泡期，起主导作用的是两个激素——FSH和雌激素，而雌激素是一种从低向高变化着的重要激素！

◎ 排卵期

卵泡会长大，但是不一定会破裂，卵泡的长大是量变；而卵泡破裂，排出卵子，变成黄体是质变。从量变到质变必须具备一定的条件：首先是雌激素极大地升高，再在雌激素带动下，FSH和LH同时极大地升高。当这3种激素都同时升高，卵泡才有破裂的可能！

所以排卵期的特征是：雌激素、FSH和LH这3种激素差不多同时达到高峰。

排卵期是很短暂的，雌激素升到最高峰离排卵日最多3天，FSH和LH升到最高峰离排卵的时间最多2天。这3种激素在最高峰存在的时间短比长好，最好只是一个脉冲。当它们突然从最高位置上降下来的时候，就会发生卵泡破裂、卵子排出的排卵现象！

◎ 黄体期

卵泡破裂、卵子排出是一个重要事件，形成了月经周期中明显的分界线，于是整个周期进入了大家熟知的黄体期。在这个时期，由于破裂的卵泡在LH的作用下，生成黄体，黄体分泌孕激素，因此女性体内开始出现较高水平的孕激素。孕激素使子宫内膜形成分泌期的变化，为受精后的孕卵着床作了最充分的准备。

月经周期有了分界线，那么分界线前后必定会不一样！最明显的不同在于卵泡期是以雌激素为主的，雌激素的变化带动LH和FSH一起变化；而黄体期是以孕激素为主的，此时雌激素已经退居到次要地位。这就是月经周期激素的变化规律。

知道了激素的变化规律有什么用？我们在利用激素调理身体时一定要顺势而为：应该低的时候就让它低，应该高的时候让它高；该出现这种激素的时候要帮助它出现，不能出现的时候不要人为地去补充。千万不要反其道行之，乱用激素，破坏其正常的变化规律！把内分泌搞乱了，这就不是帮助生育，而变成避孕了。

许多人不理解，她们在避孕的时候，吃的避孕药是激素，后来在调理内分泌做人工周期的时候，吃的药也是激素。几乎是同一种激素，为什么会起到完全相反的作用呢？其实道理很简单，同一种激素，使用的时机不一样，效果就完全不一样。譬如，在促排的时候，医生会开些补佳乐（雌激素）给你，让卵泡加速发育成长；但是，一旦卵子排出，再大量补充这种雌激素，就相当于作为紧急避孕药使用了！

激素类药品的避孕原理几乎都是扰乱正常的激素变化规律，长效避孕药的作用往往是抑制排卵，紧急避孕药主要是干扰受精卵着床。**事实证明，服用长效避孕药的可靠性比较高，但避孕药最好不要长时期服用，因为它也有副作用。**长期服用避孕药，有些人会出现“排卵停止综合征”，“过剩抑制综合征”或者“闭经-溢乳综合征”。

工具不能长期闲置不用，人体器官更不应该长期处在被抑制的状态。长期服用避孕药的妇女，会发现其卵巢受抑制而变小，卵泡小而且没有黄体，皮质多变为硬化型，这和更年期女性的卵巢外形皮质颇为相似。而且有的人还有恶心、头晕、头疼乏力、食欲不振、乳腺胀痛、色素沉着、黄褐斑、白带增多、下肢疼痛等症状，这就是“排卵停止综合征”或“过剩抑制综合征”的典型症状。如果进行激素检查，还可发现雌激素、FSH和LH均处在最低水平，这时即使注射促性腺激素释放激素，LH和FSH也不会出现高峰反应。

这种状况，在停止服用避孕药的一段时间以后才会慢慢消失，卵巢和子宫的萎缩情况才会慢慢好转。停服避孕药后，需要过多长时间才能怀孕，这是姐妹们经常提出的问题！医生们通常回答是：半年以后。

这样的答复没有错，因为变化了的卵巢恢复到正常需要时间，处于受抑制状态的下丘脑和垂体恢复到非抑制状态同样需要时间，半年时间足够了！当然大家也不必拘泥于医生的答复，因为个体差异非常大，你也许并不需要半年时间就已经恢复正常了，那么完全可以放心地提前怀孕！

5 白带异常也是病

白带是子宫颈腺体的分泌物和阴道黏膜的渗出液混合而成的。白带里混杂有脱落的阴道上皮细胞、白细胞及乳酸杆菌等。正常情况下，白带呈白色稀糊状，无臭味。

白带的量随女性体内卵巢分泌的雌激素量的高低而增减。月经来潮前后，由于盆腔血管充血，使阴道黏膜渗出液体增加，因此，白带的量也随之增加；女性妊娠后胎盘绒毛合体细胞分泌大量雌激素，使体内的雌激素水平明显增高，宫颈分泌物阴道黏膜渗出物随之增加。因此妊娠期妇女白带量比未孕时明显增多。

女性这种正常变化的白带有润滑与保护自身生殖道的作用，当女性白带的量、色、味出现异常变化时，表示存在某些妇科疾病。

◎ 凝乳状或豆渣样白带是真菌性阴道炎所特有的；
◎ 黄色脓性或稀水样臭带，大多是阴道滴虫或化脓菌感染所致；
◎ 白带呈血水状，或带内混血丝，或呈酱油样，应警惕生殖道内有肿瘤。血性白带常常是宫颈癌的早期症状之一；
◎ 白带呈高粱米汤样或洗肉水样，恶臭，常预示有晚期宫颈癌存在。

由此可见，当白带出现异常时，姐妹们要引起注意，应尽早就医，以免延误医治。

6 阴道炎——女性的难言之隐

阴道炎是妇科的常见病，每年，全世界约有十亿人患泌尿生殖道感染，超过一千万人因为阴道炎而就诊。

虽然女性相对男性来说，更爱干净，然而由于生殖道的解剖学特点，外阴部与尿道、肛门邻近，有可能受到排泄物的浸渍，因而是炎症的好发部位，仅仅依靠外阴部大小阴唇的保护是不够的。

阴道的保护主要依靠内部的细菌菌群平衡。我们可以在阴道内检测到许多细菌，如乳酸杆菌（阴道杆菌）、大肠埃希杆菌、白色链球菌、消化球菌、沙门菌、葡萄球菌等。其中除了乳酸杆菌是有益细菌外，其余的细菌几乎都是致病细菌。不过姐妹们不用担心，虽然致病细菌种类很多，但只要数量不大，就不要紧。

平时我们评价阴道是不是清洁，主要是通过做涂片分析来确定的。在显微镜下观察阴道分泌物涂片，按乳酸杆菌、白细胞及杂菌的数量的多少来分等级。

阴道清洁度，共分4度：

Ⅰ度：有大量乳酸杆菌及上皮细胞；无杂菌、白细胞，视野干净，是正常分泌物。

Ⅱ度：乳酸杆菌及上皮细胞中量；少量白细胞及杂菌，仍属于正常阴道分泌物。

Ⅲ度：少许乳酸杆菌及鳞状上皮；较多杂菌及白细胞，提示有较轻的阴道炎症。

Ⅳ度：无乳酸杆菌，只有少许上皮细胞；有大量白细胞及杂菌。提示有相对较重的阴道炎症，如真菌性阴道炎、滴虫性阴道炎。

可以看出，乳酸杆菌占绝大多数的时候，阴道是清洁的，在健康妇女阴道中乳酸杆菌数量占阴道微生物的95%以上，92.5%健康女性阴道内能检出会产生过氧化氢的乳酸杆菌。乳酸杆菌可以黏附于阴道上皮细胞，从而阻止病原微生物的入侵，同时分解阴道黏膜上皮细胞内的糖原，产生一定量的乳酸，使阴道保持酸性环境，有利于阴道的自净作用。而所产生的过氧化氢，更能抑制或杀灭其他细菌。

当杂菌（除乳酸杆菌以外的其他细菌）的数量占优势或绝对优势的时候，就有阴道炎的可能了，阴道清洁度显示是Ⅲ度或Ⅳ度。这个时候，就要通过对阴道分泌物进行培养来做出正确的诊断，看究竟是哪种细菌造成的结果。

如果是白色念珠菌引起的就是真菌性阴道炎；如果是阴道毛滴虫引起的是滴虫性阴道炎。这两种被称为特异性阴道炎。而由其他多种细菌协同起作用的阴道炎是细菌性阴道炎，又称为非特异性阴道炎。

阴道炎会引起外阴阴道的瘙痒或烧灼感，是女性的难言之隐。不过，这还不是最大的问题所在，细菌和支原体等东西是非常不安稳的家伙，它们会上行至上生殖道而引发更严重的问题，例如盆腔炎就是因为阴道内的细菌通过子宫颈上行性感染引起的，细菌会向上累及子宫内膜、输卵管、卵巢和腹腔，甚至子宫旁的组织也会被累及。盆腔炎会引起严重的后遗症，包括异位妊娠、不孕、慢性盆腔疼痛、输卵管积水、输卵管卵巢囊肿以及性交困难等。在患过一次盆腔炎后，大约有30%的妇女不能生育。

阴道炎与其他疾病一样，应该防治结合，以防为主。以下几点是每个女性在日常生活中都要注意做到的事情：

◎ 内衣裤要勤换勤洗，尤其是裤衩，应选用纯棉制品，免用化纤织物，松紧适度，经常用开水烫煮消毒。

◎ 每日用洁净专用盆温开水洗外阴1～2次，保持外阴局部清洁、干燥，清除尿液及汗水的刺激。

◎ 避免不洁性交和经期性交。

◎ 当阴道清洁度为Ⅲ度或Ⅳ度的时候，不进行任何宫腔检查与输卵管通水、造影等操作。

如果患上了阴道炎，应该积极治疗，以免问题严重化。医生采用的常规治疗方法是采用抗生素类药品，例如甲硝唑、咪康唑和激素康唑，治疗效果是立见竿影的，但是也存在一个问题，那就是抗生素在抑制有害细菌的同时，也抑制乳酸杆菌，玉石俱焚，从而导致阴道炎反复发作。

那么有没有更好的治疗方法，在杀灭致病菌的同时，重新建立起乳酸杆菌的优势地位，以维持正常的阴道微生态环境，从而从根本上解决阴道炎的问题？我认为直接使用乳酸杆菌本身来治疗阴道炎就是一种符合自然生态法则的好方法。细菌性阴道炎就是因为乳酸杆菌的减少，特别是产生过氧化氢的乳酸杆菌减少，而其他杂菌增加造成的。那么，使用微生态制剂恢复乳酸杆菌的主导地位不就是一个完美而合理的思路吗？

我现在告诉大家一些简单的办法，来恢复乳酸杆菌的主导地位。在日常生活中，我建议姐妹们多多食用市售酸奶，因为这种食品含有多量保加利亚乳杆菌、乳酸杆菌和嗜酸乳杆菌等有益菌种。酸奶进入人体后，首先在肠道中抑制致病菌和腐败菌的繁殖，调整了肠道中菌群之间的平衡。接着，大概在7～14天后，就能在女性阴道中分离出乳酸杆菌。如果你能够长期食用，当然有希望最后将阴道内的菌群调节到一个正常的状态。在享用美味饮料的

同时，又调整了身体各处的微生态环境，何乐而不为。

不过，如果你已经有了严重的阴道炎，想单靠每天吃点酸奶来治疗，那肯定是不行的。

酸奶中的乳酸杆菌口服以后，必须通过人体的消化系统，再辗转进入阴道，时间很长不算，数量也大为减少了，所以口服酸奶充其量也只能算是一种间接的保健措施。

那有没有直接有效的办法呢？有，现在市面上出现了一种由大连医科大学微生态研究所研制，内蒙古双崎药业生产的阴道乳杆菌活菌制剂（定君生），它是从健康妇女阴道中分离出的乳杆菌DM8909菌株经过体外人工繁殖后制成的活菌制剂，这种菌株可产生大量乳酸和过氧化氢，使阴道维持在低pH值，抑制非嗜酸性微生物的生长，因而维持了正常阴道菌群平衡，防止了感染发生。同时，DM8909菌杆对阴道上皮细胞的黏附能力较强，还能抑制肠杆菌、葡萄球菌和白色念珠菌对阴道上皮的黏附。因此，对真菌性阴道炎有很好的预防作用。

这个活菌制剂的治疗效果很好，而且基本没有副作用，推荐大家试一试。

7 滴虫病会引起不孕

常规情况下，女性能够受孕的重要条件是丈夫的精子达到一定数量，并且活动度良好。 但是，当女性被滴虫感染时，阴道的pH值一般为5～6（正常阴道的pH值应为4.2～5），阴道内酸度增加了，这使精子的活动力受到影响。 另外，滴虫会大量吞噬精子，使精子数量减少。如果精子数量既少，活动度又不好，就很有可能引起不孕。滴虫病患者中不孕者约占19%，但这并不是不可逆的，大多数人在滴虫病治愈后，生育能力可以得到恢复。

8 要注意清洁，但不要过分

不少姐妹认为同房前后，认真清洗私密处就可防病，其实这样的观点不是绝对正确的。过度的清洗，特别是阴道灌洗，反而会破坏阴道原有的一些自然防护机制，引起菌群失调，使女性更易于患真菌感染和细菌性阴道病，甚至盆腔炎。

据报道，用阴道冲洗液的女性比不用阴道冲洗液的女性盆腔感染危险率增高了73%。这是由于冲洗液破坏了阴道的自洁功能，导致病原菌乘虚而入，沿宫颈上行至子宫和输卵管，引发盆腔感染。

请记住，凡事过犹不及，女性的自身清洁工作只要做到以下几点就可以了。

◎ 健康女性每天用清水清洗私密处一次即可。

◎ 同房前可清洗私密处，但事后没有必要再次清洗，因为在亲密过程中，女性自身会分泌一种杀菌物质。

◎ 直接用清水冲洗即可，不必使用药物和阴道冲洗液，更不应进行阴道灌洗。

9 专业医生谈抗心磷脂抗体

播种网上，有一位做试管婴儿的专业医生，她非常热心，针对姐妹们的提问，给了很专业的答复。以下是她关于抗心磷脂抗体的精彩答复：

抗心磷脂抗体是一种针对磷脂抗原的抗体，它影响细胞表面黏附分子的功能，会引发习惯性流产（发生率不低）。但你不用紧张，这是在确诊了的情况下。仅凭一次检验单个指标的阳性是不足为据的。要确诊，须复查几次并加做纠正试验，同时还要做狼疮抗凝物及纠正试验，β_2糖蛋白1抗体。国内能做的医院很少。你不愿意麻烦的话，就不理它，该干吗干吗，放轻松就是了。将来如果怀孕后流产了（多数不会），那就要重视它了，到时候我们再来讨论治疗！（我希望没有那一天，祝好孕！）

10 关于抗HCG抗体的一点忧虑

免疫性不孕中最常见的是抗精子抗体，抗HCG抗体是比较少见的，在姐妹们的帖子中也很少提到因为这种抗体而流产的例子。不过，没有人提到，不等于没有。一旦你有了这种抗体，流产和胎停育就不可避免了。

HCG是女性怀孕后出现的重要激素，它能够使黄体转变成妊娠黄体，并且维持和增强妊娠黄体的功能，使之产生足够的孕激素，支持早期胚胎的正常发育长大，没有了孕激素，你就可以想象后果会是怎样。

目前，有的医院使用HCG的机会和数量真是太多了，在进行激素疗法的时候，在促排卵的过程中，在治疗先兆流产的时候，都大量使用着HCG，遇到做试管婴儿，HCG更是用得像流水一样。

这样大量的使用，就难免不出问题！

我们先来听听一个比较权威的说法：有流产和多次流产史的女性，在流产过程中，HCG可作为抗原刺激母体产生抗体；接受过HCG作为治疗或者促排卵的女性中，其体内的抗HCG抗体也有可能为阳性。

曾有报道，大量应用HCG的女性，抽血时却测不到这种激素，或测到的含量极低。研究发现，患者体内已经有了抗体，使外用的HCG进入体内不敏感，从而导致治疗用量无效。我们也注意到有些姐妹，多次诱导排卵，开始很有效果，但是到后来，效果越来越差，从中我们已经看到了抗体的蛛丝马迹。

所以，HCG的使用原则是：能不用就尽量不用，只要有其他的药物起的作用和HCG一样，就尽量采用其他的药物。有些医生，倾向于采用价格较贵、利润较高的HCG，而不愿使用价格便宜的黄体激素，实际上，在一些场合，这两者的作用是很相似的。遇到这种情况，你就应该用你所学到的知识，与医生沟通，使医生使用比较安全的黄体激素，以免万一产生抗HCG抗体，从而造成不明原因的流产或胎停育。

11 专业医生谈输卵管

专业医生谈了很多关于输卵管的问题，现摘录如下：

个人估计，目前中国有不孕问题的夫妇占育龄夫妇总数的1/6，这其中受输卵管困扰的约占1/3。导致输卵管不畅的病因主要有：盆腔炎症、手术和子宫内膜异位。不畅的具体原因有：粘连、痉挛、结节、输卵管内息肉、输卵管内子宫内膜异位和输卵管内黏膜破损等。按阻塞部位，可分为近端和远端（主要指伞部）。

输卵管不畅的治疗手段包括：

◎ 通水——疏通管腔；
◎ 中药和理疗——促进局部血运，解痉；
◎ 腹腔镜手术——松解粘连，伞部造口，去除异位的子宫内膜等；
◎ 输卵管镜插管——去除息肉和碎片，疏通管腔。

上述手段中，通水以及中药和理疗（微波、敷盐等）治疗简便，没有太多副作用，一般的医院都能做；腹腔镜和输卵管插管则对设备和医生的经验有一定的要求，另外术后一年再阻塞率有30%。

对于大家关心的疗效，则要看每个人的具体情况了。如果是近端不畅，经过通水或手术治疗，估计有50%的有效率；如果是远端不畅，根据文献资料统计，有效率约为25%，同时，异位妊娠率有5%；如果伞部黏膜形态差，则有效率更低些（要是哪个医院广告敢讲保证治愈输卵管不畅，可以打入黑名单，不用再信了）。

医生在面对各种治疗选择时，也常有犹豫。一般来讲，我觉得影响医生决策的因素有：患者的具体情况，本医院实施各种技术手段的实力，医生自己的喜好以及患者的要求。医生如果觉得患者输卵管情况还好，年纪也还轻，卵巢储备能力尚强，一般会建议先用各种手段治疗输卵管看看再说；如果觉得患者输卵管情况差，且对自己医院的做试管婴儿水平有信心，那么就会建议准备做试管婴儿了。

做试管婴儿如果没成功绝不等于没希望了，还是可以再用其他手段治疗的。

再补充一下：有炎症时绝不能通水，会造成炎症扩散和加重，有些姐妹说的输卵管积水就是这样引起的。

12 做子宫输卵管碘油造影的注意事项

一般在做子宫输卵管碘油造影前，医生会要求丈夫先做精液检查，如果精液无异常，才考虑做这个检查。做这个检查的对象为基础体温曲线为双相，黄体功能良好，已连续3个月经周期，仍未能受孕者。

做子宫输卵管碘油造影时有以下几个注意事项。

◎ 造影时间选择在月经干净后3日至排卵期前进行。如过早，月经刚干净，可能将宫腔内残存的子宫内膜碎屑挤入盆腔内，人为地造成子宫内膜异位；如过晚，选择在排卵期后，子宫内膜已明显增厚，可能在输卵管入口处增厚的子宫内膜，遮挡输卵管口而造成阻塞的假象；同时，分泌期子宫内膜有碎屑脱落，阻塞输卵管入口处，或被挤入盆腔造成子宫内膜异位症，也可能将已受精的受精卵挤入输卵管，引起异位妊娠。

◎ 造影前，要检查有没有滴虫或真菌感染。

◎ 造影前3日及造影后2周内，不能够性交及深水盆浴，以防感染。

13 做输卵管通液，时间很重要

输卵管通液不是随便哪天都可以做的，应该在月经干净3～7天进行。提前、错后都不行。这是因为经期刚过，子宫内膜尚有创面，进行检查操作，易将体外或阴道、宫颈口的病原菌带入宫腔，引起感染和并发症；引起血逆流，易致子宫内膜碎片随血倒流入盆腔，形成子宫内膜异位症。而在月经干净8天以后做检查，内膜生长肥厚，血管扩张，子宫内膜大量脱落造成并发症。另外，生长过厚的内膜，子宫输卵管交接处狭窄，造成生理性阻塞，影响检查的准确性。而在月经干净后3～7天，旧的子宫内膜已脱落干净，新内膜已开始生长，正是子宫内膜厚度适中的时候，此时进行输卵管通液，就不会损伤子宫内膜引起出血过多。所以为了姐妹们的安全，为了不再增添其他病症，大家要记住输卵管通液术必须在月经干净后3～7天进行。

14 认识促排卵药品——克罗米芬和HMG

对促排卵药物的使用有两个误区：一种是太轻率，随便使用它；另一种是过于慎重，有需要，但是迟迟下不了决心去使用它。

我们经常看到有些女性，为了追求双胞胎，即使自身的排卵功能良好，但还不时地去吃它，祈求多胞胎的奇迹。相反，有些女性，自身存在排卵障碍，照理应该听从医生的建议，适时地使用促排卵药物，争取早日怀孕，却由于存在着过多的疑虑，怕这怕那，而延误了最佳的怀孕时间。

出现了这些使用上的误区，是由于不了解促排卵药品的作用原理和副作用引起的。我想，只有对促排卵药物有了充分的理解，才会有正确的态度。下面我就试着详细介绍促排卵药物。

我们首先要了解正常的内分泌调节是怎样进行的。

◎ 第一步：下丘脑分泌卵泡刺激素释放激素（FSH-RH）和黄体生成素释放激素（LH-RH）两种激素；

◎ 第二步：在上面两种激素的作用下，脑垂体释放卵泡刺激素（FSH）和黄体生成素（LH）；

◎ 第三步：在FSH和LH的作用下，卵巢中卵泡发育成熟和排出，形成黄体，黄体产生雌激素和孕激素；

◎ 第四步：雌激素和孕激素反馈给下丘脑，抑制下丘脑分泌两种促性腺激素的释放激素。

这是一个循环的圆周，它们的循环过程是A-B-C-A。形成这样的一个循环圆周来调节内分泌是很精确的。每个环节都能够紧紧相扣，正常的内分泌是不需要人为干预的。

不过正因为每一个环节都是紧紧相扣的，所有只要其中一个环节出错，或者受到外界影响，整个循环系统就紊乱了。比如说情绪焦虑，马上会影响到下丘脑，进而影响到其他激素的产生。所以女性内分泌失调是很常见的，多囊卵巢综合征、卵泡黄素化综合征等典型的排卵障碍大有人在，卵泡发育迟缓或者卵泡中途萎缩也常常能够见到。如果排卵障碍只是偶然发生一次，还没有什么大碍，如果长期存在排卵障碍，那么应该进行人为干预了，否则就会造成不孕。

当你被确诊为存在排卵障碍时，就应该尽快治疗。不能治疗，就应该尽快用药物诱导排卵。要知道，女性的卵巢功能，是随年龄的增加而衰退的。

诱发排卵的药物中，最常用、最具代表性的是克罗米芬，许多人认为吃了克罗米芬将来的孩子会受到影响，其实不会。克罗米芬作用于下丘脑，下丘脑是整个系统的司令部。司令部在克罗米芬的影响下，发出一个命令给下级机关——垂体，于是垂体释放出FSH和LH给基层单位——卵巢，促使卵巢中的卵泡发育。

在整个过程中，卵泡的发育并不是外界药物促使的，它是在自身产生的FSH和LH作用下长大的，所以没有什么不正常。这就像基层单位提拔一个经理，是董事会作出的决定，层层下达文件通知执行的，手续完全正常和合法，克罗米芬只是在董事会里影响了大家的看法而已。所以，吃了克罗米芬，对未来的孩子是不会有什么影响的，吃与不吃，孩子会同样聪明，同样伶俐。

克罗米芬的治疗方法是这样的：治疗的第一个月，在周期的第5～9天，每天给药50毫克，以后每个周期增加50毫克，加到每天200～250毫克的最大量，直至排卵。注意，在诱导排卵前，还需要做精液分析和子宫输卵管造影，明确夫妇双方这两项指标正常时，诱导排卵才有意义。

使用克罗米芬后，一般都会有卵泡发育成熟，等卵泡长至20毫米左右时，肌肉注射10000国际单位的HCG造成一个激素的突增状态，促使排卵。排卵后，基础体温会升高0.3～0.5℃，血清孕激素水平上升到3ng/ml以上，子宫内膜变为分泌型。

总的来说，克罗米芬能有效地诱发排卵，它诱发排卵的成功率在80%左右。虽然用克罗米芬治疗的女性有80%能产生排卵，但仅40%能够受孕，不能怀孕主要是由于不排卵的女性的其他生育因素常常也不正常。

医生在诱导排卵时，有时会忽视被治疗对象的雌激素水平。要知道克罗米芬是在一定的雌激素水平下才能起作用的，雌二醇的基线水平要大于或等于100pg/ml，能引起单个优势卵泡的迅速增大，否则会导致失败。所以，有经验的医生一定要知道你的雌激素水平，在给药的同时，会开出雌激素药品同服。

在做试管婴儿的过程中，为了取得多个合格的卵泡，医生会全程（每天）检测你的卵泡发育，根据血清雌激素水平不断地调整用药的品种和数量，经治疗发现雌二醇水平无显著升高，甚至在最后阶段下降的患者，医生会将排卵诱导治疗推迟一个周期。

女性在任何时候都要注意自身的雌激素水平，如果卵巢产生雌激素能力差，会导致雌激素缺乏综合征，所以在治疗不排卵的过程中，对卵巢功能衰竭的患者，主要是解决雌激素缺乏的问题；对于另一种雌激素水平低下，患下丘脑型不排卵的女性，同样如此。如果无生育要求，可以考虑雌激素替代疗法。

所以我一贯主张女性应在日常生活中调理自己的雌激素水平，每天喝豆浆不失是个好办法，大豆异黄激素就是植物雌激素，能够解决不少因雌激素低下而不排卵的女性患者。

我已经充分强调了雌激素的重要性，因为雌激素在一定水平以上，卵泡大致能发育到成熟，再用药物诱发排卵，其效果甚好；相反，雌激素水平低下，卵泡发育不良，采用一般的药物促排卵，往往也很难奏效。

所以，姐妹们一定要记住，在准备使用药物诱发排卵前的两个月经周期，就应该使用小剂量的乙烯雌酚（或者其他的雌激素药品）。有些患者，甚至只用这种方法就能出现自然排卵。其余的患者，在雌激素水平上升后，就可以用药物诱导排卵。当然也可以将克罗米芬和雌激素联合应用，但是这个方法要注意的是不能将克罗米芬和雌激素同时服用，应该先服克罗米芬，再服雌激素。因为雌激素可抑制克罗米芬的抗雌激素作用从而减低疗效，服用克罗米芬后加用雌激素可以改善子宫颈黏液对精子穿透力，因而提高了受孕率。

在这里，我要提一个现象——“克罗米芬反跳”，即在服用克罗米芬的当月未怀孕，而在停药一段时间后却意外地怀孕的现象，这种现象在临床上经常出现，主要是因为在促排卵的过程中，患者的精神状态过于紧张，从而影响卵泡的排出，影响输卵管的正常蠕动，更影响精子和卵子的结合。当停止促排后，患者的情绪放松了，反而顺利怀孕了。

当使用克罗米芬诱发排卵失效之后，进一步的方法是使用人绝经期促性腺激素——HMG。HMG是由等量的FSH和LH 组成，它并不作用于下丘脑，而是直接作用于卵巢。它和克罗米芬相比，具有3个优点：（1）更易引起卵巢反应；（2）不会产生抗雌激素效应；（3）可产生多个排卵前卵泡。当然它也有缺点，就是费用比较高，而且需要经常监测卵巢的状态。

HMG必须用于月经周期的早期（在优势卵泡出现以前），以使药物发挥最大效用。给药的剂量是不一定的，通常是每天注射2～4安瓿，当卵泡达到成熟，在接近排卵和黄素化的时候，就适时注射5000～10000国际单位的HCG。

HMG可以单独使用，也可以和克罗米芬联合使用。联合使用的疗程是这样的，从月经第5天起服用克罗米芬5天，停用克罗米芬后再使用75～150单位的HMG，根据B超监测卵泡发育情况调整剂量，直到卵泡直径大于或等于18毫米时停用。停用HMG24小时后，注射5000～10000国际单位的

HCG，促使卵泡排出。这个时候，你要准确掌握同房时间，最可能出现排卵的时间是在注射HCG后的24～36小时。

这里需要强调的是，诱导排卵对于排卵有障碍的女性，不失为一个好方法，但是如果你的排卵功能很正常，那么千万不要为了生多胎的目的而去盲目服用促排卵药物。因为任何一种方法其实都是一把双刃剑，有利即有弊。大家都知道，未破裂卵泡黄素化综合征，是卵泡不断地长大而就是不排，这种症状在诱导排卵的过程中出现的概率相当高，即使注射了HCG，形成了外源性的激素高峰也没有用，用得多了，就会影响你内源LH高峰的形成，造成内分泌紊乱。尤其在使用HMG的时候，雌激素水平会进行性升高，在使用HCG之后，雌激素水平又进一步升高，当血清雌二醇水平过高时，就有出现严重卵巢过度刺激综合征的危险了。严重的，会危及病人的生命，需要住院观察。

15 维生素与克罗米芬双管齐下效果更佳

医生的临床经验很重要，有经验的医生所采取的医疗措施常常比一般医生更有效。几乎所有的妇科医生在诱发女性排卵时都会使用克罗米芬，然而，研究一下医生们开出的处方，就会发现，即使同样使用克罗米芬，也会有些不同。

最简单的处方是服用5天量的克罗米芬，而没有其他辅助措施；完善一点的处方是克罗米芬+补佳乐，医生知道克罗米芬有抗雌激素作用，因此吃完克罗米芬以后应该马上提高雌激素，帮助卵泡发育。而资深的专家提出：当LH刺激卵巢时，卵巢内维生素C锐减，如果适时补充维生素C，使卵巢含维生素C正常，卵巢即对LH产生反应而排卵；而如果克罗米芬与维生素E联合应用，就比单独使用促排卵药更有效。

所以如果你已经决定服用促排药物了，那么就在服用克罗米芬之前的

2～4周，持续先服维生素E100毫克，维生素C300毫克，每日两次，再服克罗米芬，效果肯定比单独服用克罗米芬要好得多。对克罗米芬促排卵不敏感的姐妹，可以试试这样的处方。

姐妹经验

“得过重度宫颈糜烂并做过激光治疗的我，终于升级了！”

姐妹们，我末次月经是5月5日，周期是28～29天，到今天已经是第32天了。结合体温和试验纸，终于可以确定升级了。下面把我的情况和经历简单写一下，希望能给仍在奋斗的姐妹们一点帮助。

基本情况

我是1973年出生的，1997年3月第一次怀孕，因为和那时的男朋友（现在的老公）都年纪太小，根本没考虑近期结婚的事，所以没要。先做药流，没成功，后又做的清宫术，打了好多天调理针，后来大概半年月经都不准，差不多一个月2次。那次是受了不少苦，还好年轻底子好，也算挺过来了。1998年6月第二次怀孕，那时我们已经领了结婚证，就打算生这个宝宝了，两人都非常开心。可去医院检查的时候，我跟医生说曾经吃过2片毓亭，医生很严肃地建议我不要。她说这种激素类的药对胎儿的影响比较大，谁也不能保证100%没事。我又打电话去毓亭的生产厂家咨询，他们也是这个意见。后来只好在70天的时候忍痛割爱。同时在这次检查的时候，发现我是3度宫颈糜烂。手术后，医生跟我比较详细地解释了宫颈糜烂的发生原因、治疗方法和不治疗的后果。在她的建议下，我虽然还没生，还是采取了激光治疗，根治了，觉得比较安心些。

怀孕经历

从今年想要个属猴的宝宝，但1月份我得了重感冒，只好放弃。2～4月只自己根据日期法推算排卵期，加上精神过度紧张，均以失败告终。4月发现了播种网，知道竟然有排卵试纸，赶紧跟非妈买了大卫早孕试纸、排卵试纸和金时优生试纸。等到5月5日月经过后，从18日开始用试纸确定排卵。因为第一次使用排卵试纸，所以觉得很好玩，每天都仔细地测试和记录。

在19号测到有排卵强阳时，我主动出击，在20日早晨与老公同房完才放他去上班。我自己请了一小时假，同房完抬高臀部趴了半个小时。洗澡的时候发现流出好多精液，以为精子们没机会了，心里郁闷了一番。晚上排卵是阴性，也没再补课。这个月我努力调整自己的心态，坚持去游泳。没像前两个月似的一过排卵期就整天疑神疑鬼的，什么也不敢做。同时又买了豆浆机，每天都喝不少新鲜豆浆，还整天和同事开玩笑，不停地大笑。其实不是为了那个受精卵，只是不想再折磨自己了。

到5月31号的时候，早上发现白带里面有一点血丝，以为月经又要来了，心情一下沉到了底。还在播种上发了帖子，以为6月份又要重新努力了。但6月1号早上起来，不抱任何希望地测了下体温，以为温度要开始下降了，没想到竟然是前所未有的高温：36.7℃（我的体温比较低，一般低温在36.1℃，高温在36.5℃左右）。我以为自己眼花了，又测了一下，变成36.72℃。赶紧冲到洗手间，用早孕纸测，发现有一条非常淡的线，要仔细看才有，但确实有。我知道今天和明天是最关键的两天，如果体温不降，那就有希望了。果然，连续几天测到了36.69℃、36.75℃和36.77℃的高温，而且试纸的颜色也越来越深，显示得越来越快，到今天已经差不多能在1分钟之内显示接近阳性了。

昨天打电话告诉妈妈这个好消息，她高兴地说“就是么，都是你自己瞎担心，只要没病，那就是缘分还没到，缘分到了，小孩自然就来了。”

到目前为止，我分别出现了头痛头昏、乳房刺痛、胃不舒服、容易饿等症状。出现最早的是乳房刺痛，跟以前那种月经前乳腺按痛的感觉明显不同。

经验总结

◆ **一定要找对排卵期。**我觉得排卵试纸真是好用。我仔细研究了所有的“非非妈妈好帖”，特别是那个“试纸的疑问（6）——扳机扣动了，什么时候发射”，几乎快背下来了，靠它们的帮助，我这次才一举成功。在小小的试纸上，非妈和姐妹们竟然做出了那么大的学问，将试纸的功能发挥到极限，真是让人敬佩呀！

- **一定要努力保持心情愉快。**这点是最难的，一次又一次地接受打击，如果谁能一直保持心情好，那不是人，是超人。但是还是要尽量快地调整好心态，我的调整方法是多运动，多看笑话。
- **正确面对身体问题。**我本来最担心的是宫颈糜烂及其治疗会造成输卵管堵塞，现在怀上了回头来看，虽然不是很容易，但有这病的姐妹们也不必担心，是可以成功受孕的。

说了这么多，希望姐妹们没看烦，望大家能保持好心情，继续努力，你们可爱的宝宝，就在不远处等着你们呢！

“我的好孕报告——多囊，吃大豆异黄激素怀上了”

背景篇

2005年的5月底，我和老公结婚了。婚后我们就准备要宝宝，当时以为怀孕是一件很简单的事，但是半年过去了还是一点动静也没有。我的月经从初潮起就一直不准，一般错后一个星期到十来天，当时以为只要调好月经就能怀上，所以一直坚持不吃西药只吃中药调经。我当时也真是一名“反西医”派的中坚分子呀，觉得吃西药都是有副作用的。月经从2006年开始错后得越来越严重了，有时候六十多天一次，七十多天也有过，于是开始看中医调理月经了。我前后看了两个中医师，他们都说我是内分泌不调，整整吃了7个月的中药，结果却是一点好转也没有，月经还是错后严重。这样就浪费了我一年多的时间。2007年4月开始，我去医院做了个全面的检查，包括查激素6项、输卵管造影等，我老公也做了精液常规、精子穿透等，检查结果是，老公正常，我呢，得了“多囊卵巢综合征”。这病是很难甚至不能自己排卵。没有卵子怎么怀孕呀！于是2007年5月24日我开始治疗了，疗程是吃3个月的达英，吃达英期间还加吃二甲双胍。就这样我乖乖地吃了3个月的达英。达英终于吃完了，在月经的第3天去检查了激素6项，一切正常，很开心，可以进入促排阶段了。

促排篇

◆ 第一次促排（失败）

月经：8月20日。

治疗方案：国产克罗米芬＋补佳乐＋天然维生素E。

失败原因：卵泡太小了，月经第22天卵泡才长到13毫米，内膜厚度只有7毫米。

◆ 第二次促排（成功）

月经：10月1日

治疗方案：进口克罗米芬（自己买的）＋大豆异黄激素（自己买来吃的，没问过医生意见）＋天然维生素E＋黑豆浆。

过程：月经第5～9天，吃克罗米芬，每天一粒，服用天然维生素E，月经来完每天600～700毫升黑豆浆。

月经第10～18天，吃大豆异黄激素和天然维生素E，吃大豆异黄激素期间减少吃黑豆浆。

月经第18天，无意间用排卵试纸测到阳，当天下午赶紧上医院做B超，发现有优势卵泡，马上打了一针HCG，内膜厚度为10毫米。

月经第19天（排卵第1天），早上同房了一次，当晚6点测到排卵强阳，晚上11点测到弱阳，证明是排卵了。

月经第20天（排卵第2天），早上马虎地同房了一次，因为月经第16天、17天也同房了，那时还不知道有优势卵泡，月经第19天也同房了，老公有点扛不住了，所以马虎了事。

排卵第10天，本以为这月同房得太多精子质量不好不会中的，无意间用排卵试纸测了一下，弱阳，心里高兴了一下，哈，这月有戏了！接着连续几天都用排卵试纸测。

排卵第11天，高温，排卵试纸阳，早孕试纸大白板。

排卵第12天，高温，排卵试纸阳，早孕试纸水印虽然在灯光下才能照到，但是还是蛮乐的。

排卵第13天，高温，排卵试纸阳，早孕试纸水印颜色加深。

排卵第14天，高温，排卵试纸阳，早孕试纸弱弱阳。

排卵第15天，高温，排卵试纸强阳，早孕试纸弱阳。

排卵第16天，高温，排卵试纸强阳，早孕试纸阳。

排卵第17天，高温，排卵试纸强阳，早孕试纸阳。

排卵第18天，高温，排卵试纸强阳，早孕试纸阳偏强阳。

排卵第18天测到早孕试纸较深了，所以我就到医院查血，医生确认我怀孕了！

经验篇

首先要提一下大豆异黄激素，这个东西真的太好啦，见效快，效果显著。我吃了几天就有优势卵泡，内膜也长得好，跟着是这个月狂喝黑豆浆，相信也起到了一定作用的。另外，是我从9月下旬就开始跑步，做运动，这个对好孕也有帮助，因为医生告诉我，运动对多囊卵巢综合征是很有帮助。

姐妹们，我还想说多囊卵巢综合征并不可怕，只要治疗得当一定会好孕的。以前我很反对吃西药，但现在我觉得中西医各有所长，我们这病要用西药来促排，然后吃点中药补补身子那就最好了。如果找不到好的中医师，吃中药只是浪费时间，中医把脉开药，更多的是靠医生的主观判断，每个中医生对同一个病开的药都不同；而西医是看报告做事，像我们这病开的药一般都是达英、克罗米芬、补佳乐之类的。每个医生的治疗手法都差不多。

感谢篇

在这里我要感谢很多人，她们分别是宝宝群里面的宝宝、千金、长大、小鱼、杏子rain、冰心、爱养猪的狗，还有很多很多，名字不一一写出来了。在她们身上学到很多东西。谢谢非妈和各位播种网的姐妹，非妈人很好，懂得很多知识，有问必答。真的很感谢你们每一位！

CHAPTER

第10章

非妈助孕法 8 “好孕”来啦！不可大意

姐妹们，通过实践前面介绍的助孕方法，你们是不是迫不及待地想知道自己是否好孕又如何才能正确地判断呢？再或者确定好孕后，是不是全家人兴奋过后冷静下来，你又开始了新的担心？如一日三惊一般担心胎儿的正常发育，害怕突然停育、流产等等。其实很多担心都是无用功，因为许多造成胎停育的原因不是我们人为能够控制的，与其整天忧心忡忡，不如高兴一点，愉快的情绪对胎儿的发育是大有好处的。

不过，同时我也要提醒姐妹们，确定怀孕以后，你跟过去完全不一样了，你除了你自己以外，还承担着一个小生命正常发育的重大责任，因此许多你过去能够做的事情，现在就不能做了；过去能去的地方，现在就不应该去了；过去喜欢吃的东西，现在就要少吃了。禁忌的确不少，但是为了孩子做些改变是必须的。

“好孕”来啦！姐妹们千万不要大意，本章节中我将为大家逐一介绍！

1 同房后，多少天就能用试纸测出是否怀孕

到底多少天能够用早孕试纸测到强阳，这个问题是很难回答的，因为每个人的情况都不太一样。你想，每个人产生的HCG水平有高有低，相差极大，高的可以比较早地测到强阳，低的就很晚了。同样的排卵日，到了某一天，她测到了，你没有测到，这是很正常的。一般而言，在高温的第15天左右，绝大部分的人就能够测到强阳了。

姐妹们，其实大家不要这样性急。国外报道称有相关人员正在研究HCG强弱与胚胎性别的关系：当胚胎是女孩子的，分泌的HCG强；当胚胎是男孩时，分泌的HCG就比较弱。所以，如果你一心想要个男孩子的，我看还是晚点测到的好。

2 早孕试纸和排卵试纸的交叉反应

大家都知道测LH用的是排卵测试纸，它主要是测女性体内的黄体生成素（LH）；测早孕用的是早孕测试纸，它主要是测胚胎滋养层细胞产生的人绒毛膜促性腺激素（HCG）。表面上看来，这两种激素是不相关的，但是排卵期过后，在不可能排卵的时候，一些姐妹却用排卵试纸测到了强阳。

怎么会这样？原来，LH和HCG这两种激素的分子结构十分相像，此时排卵试纸除了测到LH之外，还测到了HCG，出现了交叉反应。于是，在早孕试纸之前，排卵试纸可更早地测到好孕。

但是会不会反过来，早孕试纸也能测到排卵呢？这是不可能的，早孕试纸的制造是考虑到这一点的，它排除了交叉反应的发生。所以，它就只能测到HCG。

为什么必须这样做？那是因为测排卵的时候，女性体内基本没有HCG

的存在。所以排卵试纸可以不考虑HCG对它的作用；而使用早孕试纸的时候，女性体内原本就有一定量的LH存在，因此，早孕试纸就必须首先排除LH对它的影响。

3 如何根据HCG数据判断胚胎是否正常

未准妈妈和准妈妈们都很熟悉HCG这种激素，知道一旦受精卵着床，HCG就会在体内大量出现，因此测到早孕试纸呈阳性，就会很高兴，纷纷去医院验血，看看HCG的数值到底是多少。

只要HCG数值超过某个值，就表示好孕了。这本来是没有问题的，然而不少姐妹喜欢拿自己的数值去与别人的比，看到别人的数值上千，自己的只有几百，心里就很不踏实，担心HCG数值偏低了，胚胎发育可能不正常。

在此，我向姐妹们提供苏州九龙医院的一组HCG的数据，供大家对照:

3～4周：9～130国际单位

4～5周：75～2600国际单位

5～6周：850～20800国际单位

6～7周：4000～100200国际单位

7～12周：11500～289000国际单位

12～16周：18300～137000国际单位

16～29周：1400～53000国际单位

29～41周：940～60000国际单位

从数据中可以看出，HCG的对照值是一个范围，只要在这个范围内就是合格的！比如，到了第5周，别人测到2600国际单位，你只测到75国际单位，也不需要特别担心，因为受精卵着床时间有先后，她着床得早，你着床得晚，你的数值比她低，这是正常的，况且胚胎性别不同，HCG值也会有差异。

在这里，我需要强调的是：判断胚胎是不是正常的关键，不在于HCG绝对值的高低，而是HCG值增长的速度！

只要你是正常宫内妊娠，90%的孕妇前6、7周，血浆HCG值每48小时约增长一倍；85%不能存活的胚胎，母体内的HCG值每48小时增长小于66%；如果血浆HCG值每48小时增长小于2%，预示孕卵不能存活。

所以说，HCG数值的高低远没有数值的增长速度重要。不管你测到的HCG数值是多少，只要其增长速度符合上面的标准，就不必担惊受怕；反之，就要提高警惕了。

4 早孕试纸的弱阳从何而来

一旦早孕试纸出现了弱阳，大家不约而同会想到的一个问题就是：宝宝是不是来了？

而事实情况是这个弱阳极有可能是假的，你并没有怀孕！出现假阳性是一件很令人沮丧的事情：原本满怀的希望一下子没有了，有一种从高空往下掉的失落感。

为什么会有这种现象？

让我来告诉大家：早孕试纸（包括排卵试纸）测到弱阳，并不一定说明你怀孕了，因为在许多情况下，女性体内的HCG值都会升高，而使试纸显示弱阳。

我们知道，在没有怀孕的情况下，女性体内的HCG是很低的，可以忽略不计。但是在一些情况下，我们体内的HCG水平就会显著提高，比如你曾经使用过大剂量的HCG促排卵；你在黄体期进行过激素疗法，连续注射过HCG针剂；你体内存在能合成HCG的肿瘤细胞；你体内出现了溶血和高脂血症；枯萎卵细胞受精，等等。

只要存在上面诸多原因中的一个，就会使你的试纸显示弱阳！

5 为什么一定要变

前面我们提到早孕试纸显示出弱阳性，并不一定代表着好孕。所以，当你第一次测到弱阳后，先别忙着高兴，一定要验证一下。

如果是真的怀孕了，胚胎的滋养层细胞会分泌出一种叫做HCG的物质，分泌的量大约是每两天翻一倍。在整个怀着宝宝的过程中，HCG的水平还会不断提高。由于HCG的不断增加，早孕试纸的颜色一定会不断加深；或者颜色虽然没有加深，但是弱阳出现的时间加快了。这两种状况，都证明宝宝已经在你的身体里安家落户了。

所以，我们确定是否好孕的关键不在于看到试纸上显示弱阳性，而在于观察我们的身体中是否存在着这个“变化”。

等到发现了这样的变化，你就可以大胆地向朋友们宣布你已经快当妈妈了！

孕早期要测孕激素水平

姐妹们在判断是否怀孕时，除了使用早孕试纸检测外，还常常去医院验血，查HCG值，当HCG的数值大于体内的正常值，就会很激动，因为一个新生命出现了！

这时，很少有人想到，在测血HCG值的同时，最好再测一下血孕激素水平。为什么要这么做，下面谈谈我的看法。

孕激素几乎和HCG有着同等重要的地位，它表示母体是否为胚胎发育创造了一个适宜的环境和对胚胎发育的支持程度。**每个初孕的女性都应当知道，当孕激素低于10ng/ml时，随时有流产或胎停育的危险，当孕激素达到15ng/ml左右时，应该及时采取保胎措施，只有孕激素超过了15ng/ml到达**

20ng/ml左右，才是比较安全的状态。

测孕激素的重要性还远不止这些，根据孕激素的数值还可以在孕早期排除宫外孕！现在，请大家跟我一起熟记这样一个论点：**98%未经排卵诱导的异位妊娠者血浆孕激素值低于20ng/ml。**这就是说，只要你是自然受孕的，在孕早期，测到的孕激素水平高于20ng/ml，那么就自然地排除宫外孕的可能了。例外的人是很少的！

7 出现"下班现象"（怀孕后月经期见红）别紧张

育龄妇女都有共同的生理规律，比如月经，但每个人的月经周期是不一样的，个体差异比较大，有的人一个周期还没有结束，而另一个人已经经历两个周期了。

虽然月经周期有较大的差异，但是黄体的寿命是相对稳定的。黄体从形成，发育成熟到萎缩经历的时间是14天左右，不论是谁，都是一样，它的误差不超过2天。你只要知道哪天排卵，那么一定在14天左右来月经，就像规定下午5点下班，到了时间就一定下班一样！

凡是下班，就会有一个下班现象。单位里规定5点钟下班，员工们通常在不到5点的时候，比如4点半左右，就会陆续地关掉电脑，收拾文件，锁上抽屉，整理好手提包，班车也开到门口。这时候你到单位里一看，就知道快要下班了，下班气氛是很明显的！黄体也一样，它会提前给你许多信号，让你觉得月经快来了！黄体萎缩前的症状也是很明显的。

然而，就在快下班的时候，突然来了一个通知，说要加班，谁也不能走，于是大家只好重新坐下来，打开电脑，拿出文件，班车也开回了车库，一切恢复到上班状态。同样的类比，黄体在临近"下班"的时候，会接到受精卵着床后产生的HCG的通知，不让黄体萎缩了，于是黄体进入妊娠黄体状态，来月经的症状就消失了。

许多已经怀孕的姐妹，为什么还会感到像要来月经的感觉，其实你感到的不过是黄体的“下班现象”。

员工们手拿提包，准备跨出单位大门回家了，这个关键时刻，上级部门必须及时下达加班通知才能把所有的员工留住。一旦通知下晚了，就会走掉一小部分行动迅速的人。要紧不要紧呢？当然问题不大，因为走掉的毕竟只是少数几个。

有些已经怀孕的姐妹，到了正常月经的那天，见红了，会吓得要死！这时候你先不要紧张，如果发现流血很快就停止了，血量又不多，那么这一定就是下班走掉的那几个员工！

事实上，女性怀孕后，在正常月经期见红的例子是非常多的，这主要是受精卵着床比较晚，HCG也出现得比较晚造成的。

黄体的寿命一般为12～16天，平均14天。排卵后7～8天，黄体发育达到最高峰，在排卵后的9～10天，黄体开始萎缩，血管减少，

细胞呈脂肪变性，黄色消退，黄体衰退后月经来潮。而受精卵着床最早在排卵后的第6天，最晚在排卵后的第10天左右。等受精卵着床后再产生较高水平的HCG，又过去了2～3天的时间，也就到了排卵后的第12、13天了。大家可以计算一下，到了这个时候，性急的员工是不是已经离开单位，回家去了呢？

所以，怀孕后月经期见红就变得很常见了！

8 孕早期可继续观察基础体温变化

好孕了，早孕试纸出现了明确的阳性，姐妹们都会高兴得跳起来，标志着未准阶段的结束，一个幸福的准妈妈时期开始了！

在这个时期，我要提醒大家的是，你们在未准阶段养成的一个好习惯——测基础体温，要继续坚持下去。

受精卵着床以后，到B超能够明确探测到这个小生命在正常发育之前，差不多有1个月的时间，是处在未知阶段，这个阶段称为生化妊娠阶段，即在这个阶段只有医院使用生化方法才能探知到胚胎的存在。检验血HCG就是一个生化方法，但是要在医院才能做。

天天去医院是不可能的，在家里，我们自己能够做什么？

在早孕阶段，血HCG的浓度在不断增加，姐妹们可以每天用早孕试纸测，试纸颜色在不断加深或保持着强阳，就说明很正常，这个方法在早孕的开始阶段很有效，但是当HCG的浓度增加到一定的程度以后，早孕试纸的颜色反而会转弱，于是这个方法失效了，不少姐妹为此惶惶不安。

唯一不失效的方法就是测基础体温！

由于孕激素的作用，能够使你的基础体温保持在高温状态达16周之久。即使阴道见红，出现了先兆流产的迹象，但只要你体温不下降，保胎就极有希望，如果体温下降了，危险程度就增加了很多。

因此，怀孕以后，大家仍要密切注意自己的基础体温！

孕早期没有必要去做B超

最近看大家的帖子，发现许多想确定自己是否好孕或者担心宫外孕的姐妹，过早地去做B超。不错，B超是妇产科的重要检查手段，但是在早孕阶段，B超的作用很有限。过早地去做B超一点用处也没有！你想，受精卵在着床的前后，只有针尖那么大，用B超怎么能发现它到底落在哪里？

所以，B超的结果常常是：查无实据！就是说没有发现任何东西，通常医生会叫你过一个星期再去复查。得到这样的结果除了多一笔支出，徒增了不少烦恼以外，没有别的用处。

大家都要掌握一些基本常识：若好孕，在排卵后的4周，B超可见胚囊，5周可见胚芽，6周可见心血管搏动。如果不知道自己的排卵日，就从末次月

经算起，孕6周可见胚囊，孕7周可见胚芽，孕8周可见心血管搏动，这样的算法，虽然不精确，但也差得不远。

假如有人建议你过早地去做B超，不管他是谁，即使带着专家的头衔，你都应该拒绝。因为这个时候的B超，探视的不是子宫，而是你的钱袋。

10 妊娠期如何做B超检查

在没有特殊情况时，一般整个妊娠期可以做3～4次B超检查。

第1次：妊娠12周内做第1次B超检查，此时可以判断孕龄，排除宫外孕、葡萄胎、双胎等。

第2次：妊娠20周左右做第2次B超检查，以了解观察胎儿发育是否正常，有无胎儿畸形等。

第3次：妊娠28周左右做第3次B超检查，进一步观察胎儿发育情况。

第4次：妊娠晚期或临产前再做一次B超检查，了解胎儿头径、股骨长度，估计胎儿成熟度，确定胎盘位置，了解胎盘成熟度，探测羊水量，及时发现和处理羊水过多或过少等问题。

11 防患于未然——关于“先兆流产”

就像船舶航行会遇到礁石一样，女性在怀孕后也会遇到礁石，那就是先兆流产！

◎出现先兆流产的原因

阴道流血是先兆流产的最直接症状，引起阴道流血的原因是胚胎的绒毛从母体的子宫肌壁上剥离。若胚胎绒毛剥离的面积小，则阴道出血量少，胚胎的存活尚无大碍，有保胎的希望，医学上称之为“先兆流产”。如果剥离的面积大，则阴道出血量多，胚胎的营养供应受到严重影响，此时，保胎的希望就很小了。

在孕8周以前，因为胚胎的绒毛发育幼稚，与母体联系不牢固，稀疏的绒毛很容易从母体剥离。在这个时期若有激烈的性生活，或者过度的劳累，负重，搬扛重物，撞击腹部，长途旅行颠簸等，就会突然引起剥离。

由于剥离出现的突然性，没有一个发展过程，所以先兆流产的阴道出血起初总呈鲜红色，再逐渐变成暗红。血的颜色和通常的月经不同，月经是子宫内膜逐渐萎缩的结果，经过长时间的氧化，所以出血的颜色一般比较深。

◎出现先兆流产的对策

一旦发现阴道有鲜红的血液流出，你应该马上意识到出现先兆流产了，这时候要立即去医院检查。

在这里要告诉大家一个医疗统计数字：在妊娠前3个月阴道出血发生率是20%，也就是说每5个孕妇中，会有一个出血现象；另外，在出现先兆流产的女性中，约有50%的人保胎成功。

阴道出血的孕妇中，首先要做的鉴别诊断是排除异位妊娠，排除了异位妊娠才能采取保胎措施。而采取保胎措施的孕妇中，有一半的人是会成功的，所以大家行动一定要早，千万不能犹豫不决，放弃机会！

先兆流产实际上是流产发展各阶段中的第一个阶段。当出现少量阴道流血和下腹痛，此时，如果宫颈口未开，胎膜未破，妊娠产物尚未排出，你及时采取了保胎措施，而且措施很得当，休息很充分，一段时间后，如流血停止，腹痛消失，说明保胎已经接近成功！相反，如果你忽视了先兆流产的征兆，延误了采取措施的时间，听之任之，不适当休息，发展下去就难免流产了！

我现在来提供一些方法和数据，这些方法和数据对大家或许有用。

出现阴道流血，说明胚胎出问题了，但是问题严重到什么程度？是不是应该采取保胎措施？必须做一个评判。

医生首先要做的是排除患者异位妊娠。

只要有腹部痉挛或腹痛及阴道出血，就存在异位妊娠的可能，此时应尽早进行超声检查，以确定妊娠位置。若血HCG水平大于2000mIU/ml，则通过阴道超声检查可以见到宫内妊娠；若血HCG水平大于6000mIU/ml，则通过腹部超声就可以见到宫内妊娠。另外，还可以通过孕激素水平来判别为是否为异位妊娠。异位妊娠的孕激素水平比较低，若孕激素小于5ng/ml，则胚胎一定为异常胚胎；若孕激素大于15ng/ml，则可以确定为正常妊娠。

排除了异位妊娠后，可以通过以下的一些方法来判断是否应该保胎，估计保胎的成功率，并预测后期的胚胎发展。这些方法，大家不一定要了解得很透彻，但是应该了解基本的原理。

◎ 宫颈黏液结晶检查；
◎ 阴道细胞涂片检查；
◎ 核固缩指数测定；
◎ 内分泌测定；
◎ B超检查；
◎ 基础体温测定。

上面提到的几种检查方法中，我们比较熟悉的是内分泌测定和B超检查。

内分泌测定：孕妇黄体功能不全，分泌的孕激素少，可引起先兆流产或习惯性流产，在做内分泌测定时要重点测定黄体激素的代谢产物——孕二醇，如果孕二醇值低，则说明黄体功能不全。

B超检查：做B超检查可以观察宫内胎儿发育情况，若通过动态观察发现胎儿按正常规律发育，则说明继续保胎大有希望；如果发现胎儿发育受阻，经保胎治疗勉强存活下来的胎儿，多体弱低能；如果发现胚芽枯萎，或胎盘暗区（胎盘后出血）逐渐扩大，那么只能放弃保胎。

上述方法中的前5个只能够在医院里进行检查，唯有第6个是我们自己就能够做的，因此大家在未准阶段养成的一个好习惯——测基础体温，还应该继续!

毕竟在孕激素的作用下，体温的高温状态达16周之久。即使阴道见红，出现了先兆流产的迹象，但只要你体温不下降，保胎就极有希望，如果体温下降了，危险程度就增加了很多。因此怀孕以后，大家仍要密切注意自己的基础体温。

先兆流产的治疗原则当然是保胎，最主要的方法是卧床休息，避免刺激，禁止性生活。

接下来，我们来看看医生开出的典型药方：

◎ 处方1：用于黄体功能不足者，黄体激素 20mg im qd;

◎ 处方2：用于一般先兆流产孕妇，维生素E 100mg qd或bid;

◎ 处方3：用于孕妇情绪较为紧张者，地西泮（安定） 2.5mg qd;

◎ 处方4：中医固肾安胎药物，安胎饮。

上面处方中：mg代表毫克，"im"表示肌肉注射，"qd"表示一天一次，"bid"表示一天两次。

◎ 对待流产，防病胜于治病

在这里，我有必要强调一个观点：对于流产，也像其他疾病一样，防病胜于治病。到出现先兆流产迹象的时候，再慌忙地去采取保胎措施，成功的希望就只有一半，如果提前采取措施，可防患于未然，获得事半功倍的保胎效果。

对于有习惯性流产倾向的孕妇以及过去有过人工流产史的姐妹，在计划妊娠阶段，要坚持每天测量基础体温，一旦发现基础体温上升，即使月经尚未过期，也应按先兆流产保胎来治疗，而且这个保胎措施，最好要做到上次流产日期以后。因为子宫是有记忆的，再次流产或者胎停育往往会发生在上次流产日子的前后。

那么，所谓提前采取措施是不是必须到医院去才能做呢？

那倒不必，经过对医生通常开出的处方分析，其实处方2——服用维生素E，是我们自己就能够做的。当你发现自己排卵后出现高温，又很及时地同房过，加之，你过去有过流产史，那么就应当及时地每天补充2颗100毫克的天然维生素E，这是一个既可靠而又省力的方法。

12 流产的几种原因

流产的原因主要有以下几个：

◎ 遗传因素。如胚胎染色体的异常，流产多发生在妊娠8周以内。

◎ 内分泌因素。如卵巢黄体功能不全，这是早期流产的常见原因。

◎ 生殖器官异常。如子宫发育不良、宫颈内口功能不全症等，多引起晚期流产。

◎ 感染因素。如病毒或细菌感染，一方面可导致胚胎的发育异常，另一方面可引起生殖器官的炎症，不利于孕卵着床。

◎ 卵子的老化。

13 排除恐怖的宫外孕

大家从早孕的喜悦中平静下来之后，最大的忧虑就是：是否孕在宫内。

在早孕阶段，这是个很难回答的问题，谁也不能一下子给你明确的答案。于是，不少姐妹因为没有及时采取措施而处于危险的境地。

我总认为，育龄女性都应该具备一些基本常识，有了这些基本知识，会在很大程度上帮助你作出初步的判断。

◎宫外孕发生的原因

宫外孕是悬在好孕姐妹头上的一把剑，谁都害怕会掉到自己的头上。**据推算，它的发生率在千分之五到千分之十之间。**在过去的20年里，宫外孕发生率有增加的趋势，因为宫外孕而死亡的人数也有所增加。

宫外孕绝大部分发生在输卵管内，占97.7%；1.4%发生于腹部；不到1%发生于卵巢和子宫颈。绝大部分输卵管妊娠发生于输卵管壶腹，12%在峡部，5%发生于伞端。还有发生在对侧输卵管内的，不过这很少见。

宫外孕不是无缘无故发生的，主要的起因是输卵管炎，组织学检查有输卵管炎的患者占40%；其次是输卵管异常或发育不良，输卵管细长、弯曲或卵巢子宫上的肿物压迫、牵引，都会使输卵管移位或变形，以至影响孕卵通过；另外的原因还有输卵管手术，孕期吸烟，输卵管结扎避孕失败，使用已烯雌酚（DES）等。

因此，只要你没有上述状况，就大可不必担心发生宫外孕的，甚至已经发生过一次宫外孕的女性，再发生的危险也只有7%～15%。

不过，除了输卵管炎病史的患者之外，长期使用口服激素来避孕和使用宫内节育器的女性，宫外孕发生的概率分别是1%和5%。所以长期服药避孕的姐妹，你们要充分认识到这个危险性！

◎ 如何判断宫外孕

宫外孕的排除越早越好！在开始阶段只能凭自己的感觉。腹痛几乎是宫外孕患者最常见的症状，在输卵管未破裂前，虽然没有明显症状，但是有的患者下腹部一侧会有隐痛；到输卵管妊娠流产或破裂时，会突然感觉下腹一侧有撕裂样或阵发性疼痛。由于绒毛从输卵管壁分离，或输卵管壁破裂，从而引起腹腔内出血，血液刺激腹膜就引起腹痛。

据统计，90%以上的宫外孕病人有腹痛，在腹痛的同时，25%患者出现肩膀痛。这是因为腹部膈肌受到血液刺激，可以引起肩部放射痛。另外，血液积聚于子宫直肠凹陷时，可表现为肛门坠胀与排便感，这个症状是盆腔内积血的特有表现，对宫外孕的判断有重要意义。因此，大家一定要记住，如果你在腹痛的同时，又感到肩膀痛，或者有一种挥之不去的排便感，那么你就应该赶紧去医院检查了。

宫外孕还有另外一个特征，那就是在腹痛的同时，常伴有阴道不规则的点滴状流血，出血量均少于月经量，血色暗红，这是因为子宫内膜缺乏内分泌的支持而脱落，另外的原因是输卵管内出血经过子宫腔到阴道向外排流所致。

需要提醒的是，宫外孕引起的阴道出血，跟前面所讲的“下班现象”有明显的不同，在自我判断时要加以区别，千万别把“下班现象”误认为是宫外孕的表现。

自我感觉虽然能够很及时地使你提高警惕，但不是一种可靠的方法。同样的疼痛在不同人身上，感觉差异很大。有的人对痛的耐受力比较强，有的人却一点也耐受不了，前者认为还不太痛的时候，后者已经大呼小叫了。

所以，对宫外孕的判断还是应该借助科学手段。你可以去医院测一下血HCG，90%的正常妊娠的孕妇在早孕的前6～7周里血浆的HCG值每48小时增长一倍，当HCG的增长小于66%时，就提示可能不正常。

在早孕阶段，测血HCG确实是个定量的方法。当你第一次测，得到一个数据，隔48小时后再去抽一次血，得到另外一个数据，把这两个数据比较一下。当第二个数据比第一个数据大一倍，就基本上排除宫外孕。这是一个目前大家都已经熟知的做法。缺点是你必须抽两次血，去两次医院，而且要等比较长的时间，才能知道结果。

现在我告诉大家一个简便的方法，那就是当你去医院测血HCG的同时，顺便再测一下孕激素，因为孕激素也能够正确反映着床状态：98%未经排卵诱导的异位妊娠者血浆孕激素低于20ng/ml。这就是说，只要你是自然受孕的，在孕早期，测到的孕激素水平高于20ng/ml，那么就能排除宫外孕的可能了。

孕激素超过20ng/ml，就极大程度上排除了宫外孕；那么低于20ng/ml就一定是宫外孕吗？也不是。孕激素低于20ng/ml，甚至低于15ng/ml的情况比较复杂，有可能是黄体功能不足，也有可能是宫外孕，因此必须做进一步的鉴别诊断。要确诊，医院里最常用的方法是B超检查，在这里，我要提醒大家：阴道B超在探查妊娠位置时，比腹部B超可早1周，同时B超一定要与HCG测定相结合，过早去做B超毫无意义！

当血HCG达到6500mIU/ml时，腹部B超可诊断宫内妊娠；血HCG只要达到2000mIU/ml时，阴道B超就可诊断宫内妊娠了。

当然，正确判断还需要有高素质的医务人员和高质量的超声装置，所以，我建议姐妹们一定要找一个比较信得过的医院和有经验的医生。

超声检查可以发现：68%输卵管妊娠，输卵管有1～3厘米的低回声区，周围有2～4毫米超声产生的同心边缘环。几乎每个医院都有它自己的、用于评价异位妊娠的超声和HCG参数值标准。除了以上方法，医院还会采用后穹隆穿刺术和腹腔镜直接检查输卵管。

后穹隆穿刺术目前已经很少使用，而腹腔镜检查作为诊断宫外孕的最后一招，常常被应用！正确率相当高，但是还是有4%的误差。

宫外孕是妊娠女性的第二大杀手，死亡人数约占异位妊娠总数的万分之四左右，因此 ，怀孕以后及早排除是第一要务。时间，在这里显得非常重要：发现得早，可以采取保守疗法，用药物就可以使胚胎心脏停搏；发现得晚，就要切除输卵管；一旦输卵管破裂，造成腹部大出血，离死神仅一步之遥了！

大家一定要注意，输卵管破裂的时间与孕卵着床处管腔的大小、管壁的厚薄有关，如在峡部，破裂的时间较早，往往在种植后的一周即可发生；间质部妊娠，因子宫角部肌肉组织较厚实，往往在妊娠3～4个月才破裂，由于这里的血管极为丰富，一旦破裂，出血就非常严重。

孕妇的安全是第一位的，因此在早孕阶段必须及早排除宫外孕，时间诚然很重要，然而，正确的诊断更重要，把宫内孕误诊为宫外孕，或者把宫外孕诊断为宫内孕，都会造成严重的后果。

有经验的医生，用简单的方法就能确诊宫外孕；没有经验的医生，即使用先进的仪器也会出现误诊。与其完全依赖别人，不如试试依靠自己，宫外孕是有感觉的，自己感觉总比让医生替你感觉更直接，而上文列举的种种方法更要牢记在心头，有些方法非常科学和简单，能够在第一时间就帮你排除宫外孕。

14 孕早期要特别小心的事故高发时段

我看了不少姐妹的帖子，发现在孕50～60天胎停育的例子特别多，而且往往停得莫名其妙，不知其所以然。

在孕50～60天的时候，孕妇们应该特别当心，这是事故高发时期。在这个时期内，准妈妈们千万不要发脾气，避免情绪激动，也不要长途旅行，更不能太劳累。我不能一一列出在这个时期应该做什么，不应该做什么，反正你们要非常安详地度过这一关口，千万不能反常。

知道是什么原因吗？

因为孕50～60天是两个生理器官职能交接的时刻，大家知道，维持妊娠的孕激素开始是黄体产生的，但是在孕7周到孕9周以后就逐渐由胎盘代替。这个时候，黄体产生孕激素的功能迅速消退，而有时胎盘又不能立即接手，孕激素就会出现很大的波动！这种情况，就像接力赛跑，两个运动员在递送接力棒的时候，一不小心，接力棒掉在了地上，虽然开始跑得很快，但是还是最后到达终点！

我告诉大家这一点，目的就是让大家认识这个隐蔽得很深的危机，大家注意，别让接力棒掉到地上。

15 孕妇能不能接种疫苗

孕妇能不能打防疫针，这是姐妹们经常提出的问题。在长达10个月的妊娠过程中，孕妇不可避免地会遭到一些疾病的侵袭，有时需要注射防疫针。有些防疫针是孕妇绝对禁用的，有些防疫针孕妇是可以注射的，这土要由防疫针中所含疫苗的性质来决定。

疫苗分两种，一种是减毒活疫苗，一种是灭活（死）疫苗。减毒活疫苗是病毒或细菌经过了各种处理后，发生了变异的活病毒或活细菌。这种减过毒的活病毒或活细菌接种到体内后，可在机体内生长繁殖，引起机体反应，产生抗体，起到保护机体的作用。因为这些病毒和细菌已经发生变异，毒性减弱，不会引起疾病，注射一次可获得长时间或终生的保护。然而，减毒活疫苗可通过胎盘进入胎儿体内，虽然是减了毒，但毕竟还是活的病毒或细菌，对胎儿没有绝对的安全保证，故这类疫苗孕妇不能用。而灭活（死）疫苗，是经过处理的死病毒或死细菌，不能在机体内生长和繁殖，注射一次引起机体免疫时间短，所以要反复几次注射，才能得到终生保护，孕妇接种后不会影响胎儿的生长发育，所以这类疫苗在孕妇需要时可以使用。

那么，具体而言，哪些防疫针是孕妇能够注射的呢？

◎ 乙型病毒性肝炎疫苗（乙肝疫苗）。乙肝疫苗是灭活（死）疫苗，孕妇可以接种。

◎ 狂犬疫苗。狂犬疫苗是灭活（死）疫苗，孕妇可以接种。

◎ 破伤风类毒素和破伤风抗毒素。这两种疫苗孕妇均可接种，接种后会产生抗体，对新生儿也有保护作用，可谓是一人注射，两人受益。

◎ 乙脑疫苗。乙脑疫苗孕妇可以接种，因为这种疫苗对胎儿无害，只要按要求时间接种，一般都能获得良好的保护。

除了以上几种疫苗外，其他疫苗的注射就要非常当心了，注射之前一定要认真咨询医生。

16 孕早期用药对宝宝的影响

药物对胎儿可能产生不良反应，但是在胎儿不同时期，产生的后果也不同。

医学专家指出：

◎ 受精后1周内，受精卵尚未种植于子宫内膜，一般不受孕妇用药的影响。

◎ 受精后8～14天，药物的影响会导致流产，但并不致畸形，也就是说要不就是致命的——不能着床或者自然流产，要不就是没有影响。

◎ 受精后的3～8周，这一时期是胚胎器官发生的重要阶段，各器官的萌芽都在这一阶段内充分发育，最易受药物和外界环境的影响而产生形态上的异常，称为“致畸高度敏感期”，此期用药必须谨慎，安全性大的药物也要在不影响治疗效果的情况下选择小剂量，而安全性小、有致畸不良反应的药物不能用。

大家千万记住受精后1周内，受精后8～14天和受精后3～8周这3个阶段的用药影响。

不是绝对不能用药——一个“全或无”定律

定律或者定理，在物理学中比比皆是，而在医学中极少出现，我现在向大家介绍一个“全或无”定律，可称得上是绝无仅有。

“全或无”可以解释为：“不是生存，就是死亡”，意思是很明确的。

事情还得从20世纪60年代说起，当时在欧洲，尤其是西德，突然出现大量短肢畸形的新生婴儿，像一头头小海豹。手里抱着一个海豹一样的孩子，妈妈们心里充满着苦涩。经过调查证实，出现这种情况是与当时问世不久而用于广泛治疗妊娠呕吐的新药“反应停”有关系。这场悲剧的发生大大促进了人们对孕期用药的研究。

随着人们对药物研究的越来越深入，发现能在孕期安全使用的药品真是寥若晨星。而一些姐妹们对孕期用药更是谈虎色变，不管是什么时期吃的药，服用量是多少，只要一吃过药，就认定对胚胎有影响，不分青红皂白地终止妊娠，导致人工流产、药物流产变得非常普遍。

从随便用药，到绝对不能用药，是从一个极端走到另一个极端！凡事情走到了极端就会生出许多悲剧来。

在这里，我要奉劝各位，千万不要轻率地做出决定，我们应该把决定权交给孩子！

现在，让我们一起来学习一下“全或无”定律。定律是这么说的：若用药是在胎龄一周内，对胎儿的影响即或因药物而使胚胎死亡，或胚胎不受影响，能继续正常发育，也就是说在这时期用药，只要胚胎不死亡，就能够正常发育。

这是多么令人振奋的消息！大家想一想，当胚胎还只是几个脆弱的细胞时，就能够经受住考验而顽强地生存下来，这样优秀的种子，你还要求什么呢？

18 在照X射线后，发现自己已经怀孕了，怎么办

“全或无”既然被称为定律，那么就是一个颠扑不破的真理，适用于所有不慎服药后发现已经怀孕了的姐妹。

遇到这种情况，大家一定要让胚胎有个选择的余地，就像大浪淘沙，脆弱的胚胎会被淘汰出局，而生命力强的胚胎会生存下来，一旦生存下来，这就是一颗优良的种子。

药物是这样，那另一个危险因素——X射线，又怎么样呢？有不少姐妹，在照射X射线后发现自己怀孕了。事实上，X射线，同样适用“全或无”定律！放射线的影响，主要决定于接受的剂量和时间。当剂量小于0.05GY

时，未发现有致畸的证据；当剂量大于0.1GY时，有致畸的可能性比较高；当剂量大于0.25GY时则会导致小头、弱智及中枢神经系统畸形；当剂量大于1.0GY时，则可导致放射病及发育迟缓；当剂量达到4.5GY时，接受者中的50%胎儿死亡，存活者可发生恶性肿瘤。但是，如果照射时间是在排卵2周以内，大家可以按照“全或无”定律处理，是不会有任何问题的。

19 孕期感冒如何处理

经常看到孕妈妈提出的一个问题：感冒了，怎么办？

这是个老问题，诚然，没有谁愿意患上感冒，但是感冒总喜欢惹上孕妈妈。一旦怀孕，女性会出现生理性改变，呼吸道黏膜充血，就特别容易感冒，为此，大家要有一个预案：如果感冒了，该怎么处理。

◎ 孕妇感冒了，要分几种情况来对待。

◎ 虽然感冒了，但不发热，或发热时体温不超过38℃，此时可以不用治疗，多喝水、多休息，对胎儿也不会产生影响。如果孕妇有咳嗽等症状，可在医生指导下用一些不会对胎儿产生影响的药。

◎ 如果孕妇感冒时，高热达39℃以上，可分以两种情况来处理。

◎ 第一种情况，如果感冒的孕妇是处在排卵以后2周内，用药可能对胎儿没有影响。

◎ 第二种情况，如果感冒的孕妇是处在排卵以后2周以上，这一时期，胎儿的中枢神经已开始发育，若高热39℃持续一天，可能会对胎儿造成影响；若持续3天以上，肯定会对胎儿造成影响；如果高热40℃持续1天以上肯定会对胎儿造成影响。出现以上情况，医生可能会劝孕妇终止妊娠。

20 怀孕后服用叶酸不能够过量

叶酸是维生素B的一种形式，孕妇摄入足量的叶酸，能够减少婴儿出生时大脑和脊椎的缺陷。因此，目前要求姐妹们在孕前和孕后各3个月每天补充0.4毫克的叶酸。

为什么一再强调是0.4毫克，而不是更多？那是因为即使是叶酸也不能够过量！

叶酸摄入过多的孕妇产下的婴儿易携带一种名为677TMTHFR的基因，科学家认为，这种基因的改变长时间而言对健康的影响是负面的，它可能增加成人患心脏病、癌症和怀孕综合征的风险。

所以，你们应该检查一下每天摄入叶酸的总量，千万不要超过哦！

21 孕妇要少喝咖啡

经常有爱喝咖啡的姐妹来咨询问题：怀孕了，还能不能畅饮咖啡？关于孕妇是否能大量喝咖啡的问题，医学界目前已经有了比较明确的说法，希望大家注意。

在妊娠期，咖啡因可造成胚胎发育异常的剂量是每天50杯。少于这个剂量，就不会使胎儿发育异常。我想中国女性每天的摄入量高于50杯是很少见的，所以使胎儿致畸的可能性可以排除。但是，需要提醒的是，即使不会使胎儿致畸，但也不建议多饮，通过对比两组妊娠女性的资料发现，每天摄入1～2杯咖啡的女性的自然流产率略高于不饮咖啡的妇女，每天摄入超过3杯咖啡的女性，其流产率会更高。

如果从减少流产的角度出发，我的建议是：孕妇还是少饮咖啡。

22 期注意事项备忘录（1）——早孕期避免性生活

怀孕后有哪些禁忌？我第一件要你们做的事情是：在早孕期间，避免性生活。

在早孕期间避免性生活，做到这点有一定的难度。不过即使有难度，我还是要提醒准妈妈、准爸爸们一定要理智，要克制自己，一切以孩子为重，避免性生活。

性交的刺激，可使子宫和盆腔内的器官充血，反射性地引起子宫收缩，容易导致孕卵或胚胎从着床部位剥离出血，从而造成流产。妊娠的前3个月，是流产率最高的时期，因此不宜性交。如果你们在前3个月内做到了这一点，那么就减少了半数以上流产的可能，准妈妈、准爸爸们，为了孩子，加油。

孕期注意事项备忘录（2）——回忆一下自己的流产史

我要求大家回忆一下是不是曾经有过流产史。

现在的社会，婚前性行为比较普遍，但是很多女性不知道怎样保护自己，意外怀孕的现象屡屡发生。而当时的环境和条件不容许她们要这个孩子，所以这些女性朋友们只得选择人工流产这条路。

在我看来，这是一场悲剧，我一直坚持的观点是：要慎行人工流产。

为什么？人的生理机制很奇妙，有一个对应关系在里面，就是如果你有过首次流产的历史，那么当你第二次妊娠时，一旦胎停育，极可能就发生在首次流产的那一天。有些医院在进行胎停育的流行病学调查的时候，发现了这个不可思议的现象。

这是一种巧合？不，这可以看做是自然界对你施行的一次重重的惩罚，使你永远也忘不了那一天。因此，有过流产的姐妹，你们在第二次妊娠时，就要特别小心地度过首次流产的那一天哦。

24 孕期注意事项备忘录（3）——远离病源

准妈妈们是不能生病的，因为一旦生病就处于一个两难的境地！不去医治吧就病情会严重；治疗吧，一用药就会影响胎儿发育。如果是感染了病毒性的疾病，譬如流行性感冒、腮腺炎之类的疾病，就更危险了。

但要做到整个孕期不生病，保持健康状态，却不是一件容易的事。我们不能保证不生病，但我们可以做到远离病源，只要做到了这一点，就等于成功了一半！

病源在哪里呢？一是人多的地方；二是医院。

所以，在怀孕期间，你尽量不要去人多的公共场所，外面再热闹，再有吸引力，你也要克制住少去，而且不到非不得已的时候，还是不去医院为好。

25 孕期注意事项备忘录（4）——谨慎用药

孕期要谨慎用药，你们一定认为这样的提醒有些多余，因为一旦怀孕，大家都会非常谨慎，看到药品唯恐避之不及！ 是的，在美国，按药品对孕妇的影响大小，药品分为5大类：A、B、C、D、X。 X类是绝对不能用的，A类是安全的。在中国，好像还没有看到这样的分类。我想，医生们一定是心中有数的，所以，准妈妈如果去看病，一定要对医生声明：我已经怀孕了，以免错用药品。 但是，万一你碰到的是一个庸医呢？那就糟了！医院里经常有医疗纠纷发生的，因此你们自己一定要做到心中有数，不必记住所有禁用的药品，只要记住几种可以使用的药品就够了，它们是：青霉素类，红霉素，胰岛素，硫酸镁，这几种药属于B类，已经做过大量动物试验，没有致畸作用，是基本安全药，但要在医生指导下使用。

26 孕期注意事项备忘录（5）——避开异味

怀孕以后最适宜居住的地方是僻静的山村，那里树木郁郁葱葱，空气非常新鲜，是没有被污染过的。这样的地方对孕妇肯定是有益无害的，但是大家都能去吗？我看，能够去的姐妹太少了。她们离不开城市，离不开家庭，也离不开工作。那能怎么办呢？我们既然做不到趋利，那至少应该做到避害吧！

空气是无色无味的，这是基本常识，因此一旦你闻到有异常的味道了，就应当警惕，里面一定有了另类的物质。比如，办公室重新装修，空气里弥漫着油漆溶剂的味道；你走在马路上，汽车排出刺鼻的尾气；办公室里的男同事们高谈阔论，吞云吐雾，空气里充满了烟味；你的家附近有个化工厂，不断飘出异味等等。你一旦闻到了异常的味道，就应当设法避开。

27 孕期注意事项备忘录（6）——控制外出

孕期要尽量避免长时间旅行，尤其是孕早期和孕晚期。

旅行是很紧张的，如果是无法避免的外出，则需要预先安排好日程，留出足够的时间，作为途中休息；同时，在选择交通工具时也要注意，要尽量避免颠簸，而乘坐摩托车或自行车就更不适宜了。

28 孕期注意事项备忘录（7）——注意姿势

怀孕了，平时要做的家务劳动，仍然可以一如既往地进行，把它作为适当的运动。但要注意的是，不能搬重的东西，千万不能让下腹部和腰部连续受力。

大家可以跟我做这样一个姿势：把脚颠起，手向上伸出，尽力去取放在高处的东西。怎么样？是不是感觉腹部是收紧的？好，正是这样一个姿势，或许你不会相信，在不经意中造成了不少孕妇流产！

因此怀孕后，一定要注意姿势。上台阶时，先让脚尖落地，再让脚掌落地，然后一面把膝关节伸直，一面把身体的重心移到前足。在进行洗东西、做饭等站立工作时，两脚不要并齐靠拢，要一脚靠前，一脚靠后。向上搬东西或抱小孩时，首先要屈膝蹲下，再抱起孩子。

29 孕期注意事项备忘录（8）——妊娠期的运动

孕妇在快乐轻松的气氛中生活，对胎儿发育大有益处，总待在家里或者一动不动反而不好，适当运动也是必要的。

对孕妇来说，最适合的运动是散步、徒手操、游泳等，适当的运动能促进血液循环和睡眠，对母儿均有益处。但是，诸如跳舞、登山、骑马、滑雪、打网球和乒乓球等激烈的运动，不适合孕妇，有时可能导致流产。

30 孕期注意事项备忘录（9）——不是说不能坐飞机

早孕期，有些姐妹公务在身，免不了坐飞机，这里要提醒注意两个问题：一个是疲劳问题，另一个是机场的安检问题。

疲劳要依靠自己调节，不能把自己弄得太累，主动权操在自己手里。机场安检是绝对越不过的一个关口，谁也免不了。人要走过一个安全检查门，同时还要把一个手提的仪器在你身体的上上下下扫过。所以当你不得不坐飞机的时候，不妨穿上防辐射衣服，多少会有些保护作用。

31 孕期注意事项备忘录（10）——睡眠问题

适当的休息和充足的睡眠，对孕妇来说非常重要，只要条件允许，就要尽力争取。

孕期的睡眠时间应该比孕前多，每天至少不能少于8小时，如果有条件午休，那是最好的。以夫妻为主的小家庭，没有必要客气和拘束。如果和丈夫家里人一起生活，有时就不能符合自己的意愿，则要取得家人的理解。

下面我提一下睡眠的姿势。在孕早期，建议在膝关节和脚下各垫一个枕头，这可使全身肌肉得到放松；孕中期以后，采用侧卧位较为适宜，最好是左侧卧位，因为怀孕的子宫是右旋的。而对于只有仰卧才能入睡的人，要在后背塌陷处放置一个小枕头，以使腹部放松。

姐妹经验

“未准3个月升级报告（给没事总怀疑自己有毛病的姐妹打打气！）”

今天是我排卵第17天，最近5天，我用多种牌子的早孕试盒/试纸测晨尿，均呈明显的弱阳，体温已经高到了前所未有的状态。我想我确实怀孕了！回想起非妈及姐妹们的一路支持很感动，为了回报播种网及大家的支持，我现在奉上我啰啰嗦嗦的报告，大家别嫌太长哦!

一、心理准备阶段

2001年8月3日，我和老公同居了，同时我们也决定要生一个优质的“头胎宝宝”，一定严格避孕，保养身体。几年里，我们一直用避孕套，还真没出过意外。曾有过4、5次，我们在接近排卵期迷路，怕有闪失，吃了毓婷，并造成过一次停经，打了一针黄体激素才来月经，教训！也就是因为“毓婷”，让我后来在试孕阶段，总怀疑自己因此而染上了妇科病。

我去年曾经还有排卵期两侧腹痛的毛病，痛到需要卧床，后来吃了几周期的金鸡胶囊，也没看医生，就完全好了。得过2次真菌性阴道炎，都是紧身牛仔裤惹的祸，每次发作时，都是先上医院开药，然后老公帮我上药，现在想想，老公对自己确实不错呀。

2003年3月，我们结婚了！由于新房刚装修，怕有甲醛污染，我们就想先调理身体，过一年再要宝宝!

二、健康准备阶段

最近的一年半里，我们经常晚上服用善存，喝豆浆、牛奶、达能酸奶，坚持每天摄入足够的水果、鱼类、豆腐、青菜，还常常让人从乡下高价购买正宗的土鸡、土鸡蛋，保证高品质蛋白质的供给，根据季节煲汤更是经常有的。

结果，我和老公各长了几斤肉，虽然离苗条的梦想渐行渐远，但是，想到能为宝宝提供最健康的孕育沃土，觉得还是值得。

在此要检讨一下，我们俩都不爱运动，我唯一的运动是周末Shopping一天，而老公的晨跑坚持了不到一个月。其实锻炼很重要，大家别学我们啊！

三、试孕阶段（3个月）

2004年3月份，我调上了新的岗位，真想好好奋斗一下事业，可是，掐指一算，年底就到28岁了，最佳生育年龄只剩下尾巴了。于是，一合计，决定让宝宝在来年3～6月最舒服的季节出生。结果由于种种原因，我们的计划还是拖到了2004年7月月经结束时才真正开始。

试孕第1个月失败，原因：毫无计划，仅按理论上的危险期随意同房，错过了真正的排卵日。

打算要宝宝了，我俩还是挺重视的，只是因为不懂科学知识，走了一段弯路。我试孕前几个月经周期是32天、38天、33天、30天，有点乱，不过也还算好。自从前年吃过毓婷，月经周期从原来的每个月固定某天来变成了33～35天的样子。

在网上查了一下理论上的排卵期，什么辅助工具也没用，随性地安排同房，当月理所当然地失败。

试孕第2个月失败，原因：排卵预测做得有始无终，导致错过真正的排卵日，接着又把自己弄得整天疑神疑鬼的，怀孕没成功，周期倒是变成了有史以来最长的42天。

第一个周期失败，让我有点失落。8月初找到播种网，注册。从月经结束日起，天天喝豆浆，记录自己的白带拉丝情况、关注排卵出血等。

月经一结束，就开始同房。到了接近理论危险期时，有一天没一天地用试纸来测排卵，结果测得乱七八糟的。一个月里测出了2次不相连的排卵弱阳，也不知道究竟哪天排卵。月经来时，往前推算14天，才知道真正的排卵日，我已经停止同房、停止测排卵，在傻乎乎地幻想自己已经怀孕，这个月又失败了！

试孕第2个月是最痛苦、最郁闷、最抓狂的一个月。一方面完全健康的我把自己想象成了全身毛病的人，另一方面在接近月经的前一两个星期，又天天观察自己的反应，老把自己往已经怀孕上想，每天都神经兮兮，一惊一乍的。上播种网都是发表抓狂的言论，唉，痛苦！加之，这是传说中明年最佳生育的月份，播种网上每天一大批的升级报告，把我羡慕得口水遍地，当时真是发了疯似的希望自己当月就怀孕，好挤上最好受孕季节的末班车。要鄙视一下自己的从众心理！

当然，8月也是收获最大的一个月，尽管心情灰暗，但从播种网上我学到了大量的知识。月经来后，痛定思痛，痛下决心：既然这个月不成功，如此郁闷，那么下个月一定按升级姐妹的经验，从非妈那里购买“战斗工具”，科学受孕！

试孕第3个月，完全抛弃猜测和假设，采用科学手段，终于成功了！

9月21日～9月27日是我末次月经，考虑到明年孕育新生命，至少一年半不会回家乡，思乡心切的我9月24日起休假回了一趟家乡看望父母，在家乡见到哥哥3个月的儿子，羡慕死了！十分感谢非妈，在我出发的那天上午将我订购的产品全部寄到了我手上。产品有：一盒10条装的金时LH半定量不孕试纸；一支欧姆龙电子体温计；赠送了5条大卫早孕试纸，3条大卫排卵试纸。共花了222元。后来，正是这批工具，指导我走向了成功！

试孕第3个月，是科学怀孕的一个月，下表是我各阶段的行动记录，给大家参考：

排卵期

10月4日，月经第14天，同房，什么也没测；

10月5日，月经第15天，同房，什么也没测；

10月6日，月经第16天，同房，什么也没测；

10月7日，月经第17天，同房，LH=5，咖啡色分泌物，估计排卵将至；

10月8日，月经第18天，没同房，36.34℃，LH=10，大卫排卵试纸弱弱阳，淡红血丝，疑为排卵出血；

10月9日，月经第19天，同房。36.44 ℃，LH=60，大卫排卵试纸强阳，白带拉丝，小腹两侧微酸；

10月10日，月经第20天，排卵当日，同房，36.67 ℃，LH=45，白带拉丝，小腹两侧微酸；

10月11日，排卵第1天，36.69 ℃，没同房，LH=40，无拉丝，干燥；

10月12日，排卵第2天，36.69 ℃，为了加强成功率，同房，（后来知道是无用功）LH=10，下面干燥。

着床阶段

10月13日，排卵第3天，36.78 ℃，几分钟月经痛感，疑为小种子在扎营；

10月14日，排卵第4天，36.64 ℃，偶尔会有月经痛；

10月15日，排卵第5天，36.83 ℃，刻意放松，未记录；

10月16日，排卵第6天，36.80 ℃，刻意放松，未记录；

10月17日，排卵第7天，36.73 ℃，同房；

10月18日，排卵第8天，36.58 ℃，LH=10，疑为"着床降温"；

10月19日，排卵第9天，36.74 ℃，大卫早孕试纸阴，难过。

测早孕阶段

10月20日，排卵第10天，36.76 ℃，大卫早孕试纸阴，失望；

10月21日，排卵第11天，36.73 ℃，早上大卫早孕试纸20分钟后明显水印；晚上大卫早孕试纸、快速秀牌试笔也是20分钟内明显水印。希望来临啦！高兴了一天；

10月22日，排卵第12天，36.79 ℃，早上大卫早孕试纸居然是阴，奇怪；

10月23日，排卵第13天，36.88 ℃，早上快速秀5分钟内明显“弱阳”，白天感觉阴道里有一串空气出来。老医生号脉说怀孕了，呵，还说是男孩，一笑了之！我老公是非要女儿不可的呀！但是怀孕希望真是很大呀，高兴坏了；

10月24日，排卵第14天，36.82 ℃，大卫早孕试纸、试盒5分内均明显弱阳。老公说十个手指抓田螺了，臭美的他；

10月25日，排卵第15天，36.98 ℃，大卫早孕试纸1分内显色，5分内明显弱阳，乳房触痛；

10月26日，排卵第16天，36.88 ℃，大卫早孕试纸1分内显色，5分内明显弱阳。乳房触痛，有淡黄分泌物，有点厌油，但是吃起来还是香；

10月27日，排卵第17天，36.95 ℃，大卫早孕试纸半分内显色，弱阳，比昨天深。乳房触痛，有点厌倦饭菜，尤其是吃完后不舒服。

四、经验总结

- **别盲目等待，拿起科学的武器来抓准排卵日，一次成功！**如果尝试过用“理论上的危险期”后没有成功的姐妹，干脆备好体温计、排卵测试纸等工具，科学地找准排卵日一次性成功吧！以免造成精神紧张，万一内分泌失调就不划算了！
- **金时LH半定量不孕试纸确实不错，最好与排卵试纸同时使用。**LH半定量不孕试纸不会像一般的排卵试纸一样，仅出现颜色的变化，让自己搞不懂自己排卵的准确时刻在哪里。金时的颜色判断是根据深浅，按指示找到对应的值，一般达到60以上，即可知道未来的正负16小时会排卵！指导性还是很强的，不过，缺点是始终是凭眼测，主观性强，最好与排卵试纸同时用，彼此有个对比，心里更有数！
- **千万不要将别人的症状套在自己身上，也别轻易地怀疑自己不孕！**我在试孕第2个月时，痛苦到了极点，试孕第3个月的时候，心里也不安。当时，甚至决定，月经来后，去做一次系统的不孕不育检查。为此，我还在网上搜集了不少关于"检查不孕"的资料，现在回头来看，对自己太不自信了，给自己造成了没必要的心理负担。

◆ **调控好自己的情绪。**我们女人是情绪的动物，情绪关系着生殖健康，所以，不要轻易地紧张、多疑、焦虑，以免扰乱月经周期，给怀孕造成困难。

在此，希望我的报告对未准的姐妹，尤其是没事总爱怀疑自己哪有毛病的姐妹有帮助，帮你们增加信心。我们是健康的，别自找烦恼！受孕过程需要一点点理性，不需要过度猜疑，与老公一起幸福度过人生这段最美好的经历吧！

最后，再次谢谢非妈、播种网、姐妹们！并祝播种网的姐妹们早日实现怀孕计划！

"我也好孕啦！一次成功！升级报告新鲜出炉了"

这是我第一个月开始实施"造人计划"。我5月18日末次例假，6月5号上午测到排卵强阳，傍晚的时候继续测，还是很强的强阳。仔细研读了非妈好帖"什么时候扣动扳机"，决定第2天再同房，可是第2天上午用我最后一个排卵试纸一测，还是强阳！这怎么办？试纸也没了，我只能靠自己的聪明才智把握时机了。经过我和老公的精确测算，我们一致同意在下午的时候同房，呵呵。

下午3点，我们准时做功课了。可能是由于已经禁欲一周多的缘故，我的高潮来得很快，而且连续了2、3次（羞羞），总之这次同房对我来说质量很高；至于老公嘛，哈哈，由于禁欲时间长，且已不适应不带避孕套那种至高享受最真感觉，在我高潮之后一会就….嘿嘿，事后老公觉得自己表现不够最佳，一定要晚上补课一次。

晚上10点继续同房，其实我和老公都有点累了，这次同房不是随性所至，而是有点完成任务的感觉了。本来以为我不会再有高潮了，可是连我自己都出乎意料，我又享受到了一次比较不错的性爱。结束后继续臀部垫上垫子睡，好累啊。等我睡到半夜2点醒来，发现臀部下面湿湿的，是液化的精液自己流出来了。起来上厕所后继续酣睡，一夜无梦。

第二天，反常的感觉来了。乳头一直很刺痛，而且一碰到就会立刻硬起来。这种情况一直持续了2天。我在QQ上问了非非妈妈这是不是受精的表现，非妈说只要反常就会有可能。于是很兴奋，第3天，这种感觉没有了，我好失落，还好接下来的几天又有了小腹有些刺痛等感觉。我是个急性子，同房后第5天就开始测了，结果当然是什么都没有，就这样一直到了同房后第9天，我把之前预备好的试纸都用完了，除了我发挥充分的想象力看到过一条浅浅的水印外，什么都没有。

沮丧之余，我当然也知道是时间太早了。于是又从非妈那买了早孕诊断盒和试纸若干，在同房后第11天，我用诊断盒测到了弱弱阳，也就是要努力看才能看出来的第二条线，但确实不是想象出来的，而是真实存在的。我如获珍宝地用各个角度看了一天，一有空就拿出来研究，嘿嘿，有意思。

今天早上，同房后第12天，我用大卫早孕试纸继续测晨尿，本以为要好久才能出现弱弱阳的，谁知道，在1分钟内，试纸就奇迹般地出现了比较清晰的弱阳，粉嘟嘟的两条线啊！哈哈，试纸加深，再结合我最近几天发生的一些奇异症状，我几乎能确定，我是好孕了！

下面把在我身上出现的一些奇异症状和大家说说：

（1）**烫。**烫是指浑身发烫。最近一周我就觉得浑身好烫，我没有测基础体温的习惯，但这几日也偶尔测测，体温都在37℃以上，有一个晚上还测到了37.4℃，乖乖，有点接近低烧了。

（2）**饿**。饿当然就是肚子饿。近4天来，我从来没有这样饿过，前天我在家休息没上班，就吃了6顿。觉得肚子一会就会咕嘟咕嘟地冒泡，冒完泡，饥饿的感觉就来了。吃起饭来好香，一顿能吃2块半大排加1碗饭再加蔬菜和汤若干，老公都看呆了。

（3）**疼**。疼有几方面，近几日有腰疼，也有小腹隐隐作痛。

除了以上3个很明显的症状，我乳房也变大了。当然，这些只是我的个人感觉，写出来仅供大家参考。

絮叨了不少，希望大家喜欢我的升级报告。还想说两句：非妈人很好的，她的排卵试纸和早孕试纸都很有用；姐妹们不要把同房当成任务，要去享受它。最后一句，祝姐妹们大家都早日好孕，好孕的姐妹孕期平安！

附录

附录A 基础体温记录表

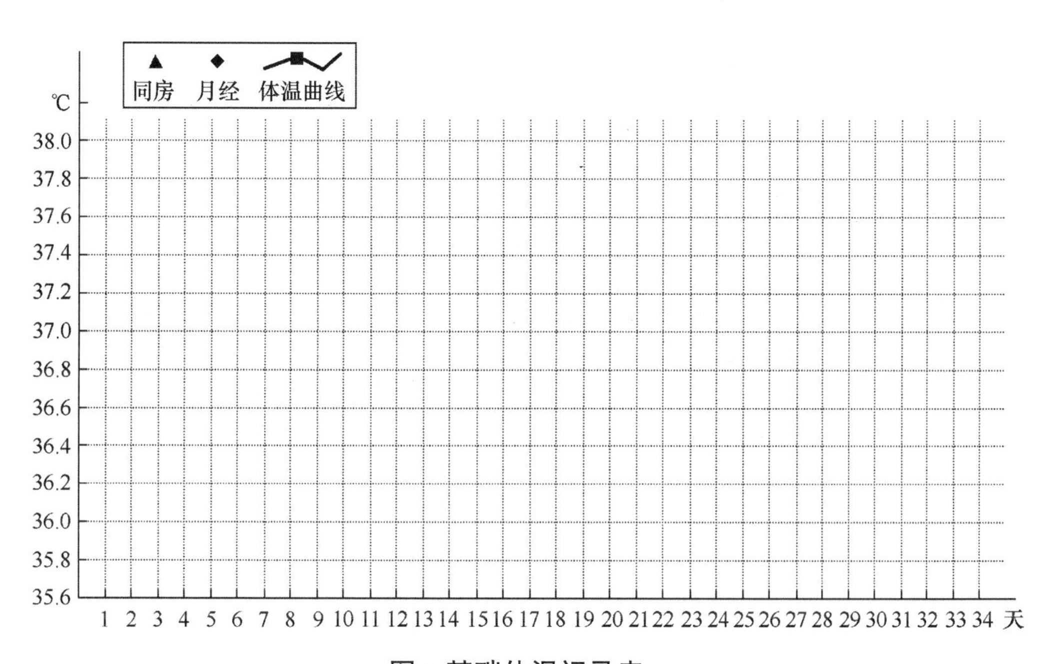

图A 基础体温记录表

附录

附录B 七种典型的基础体温曲线图

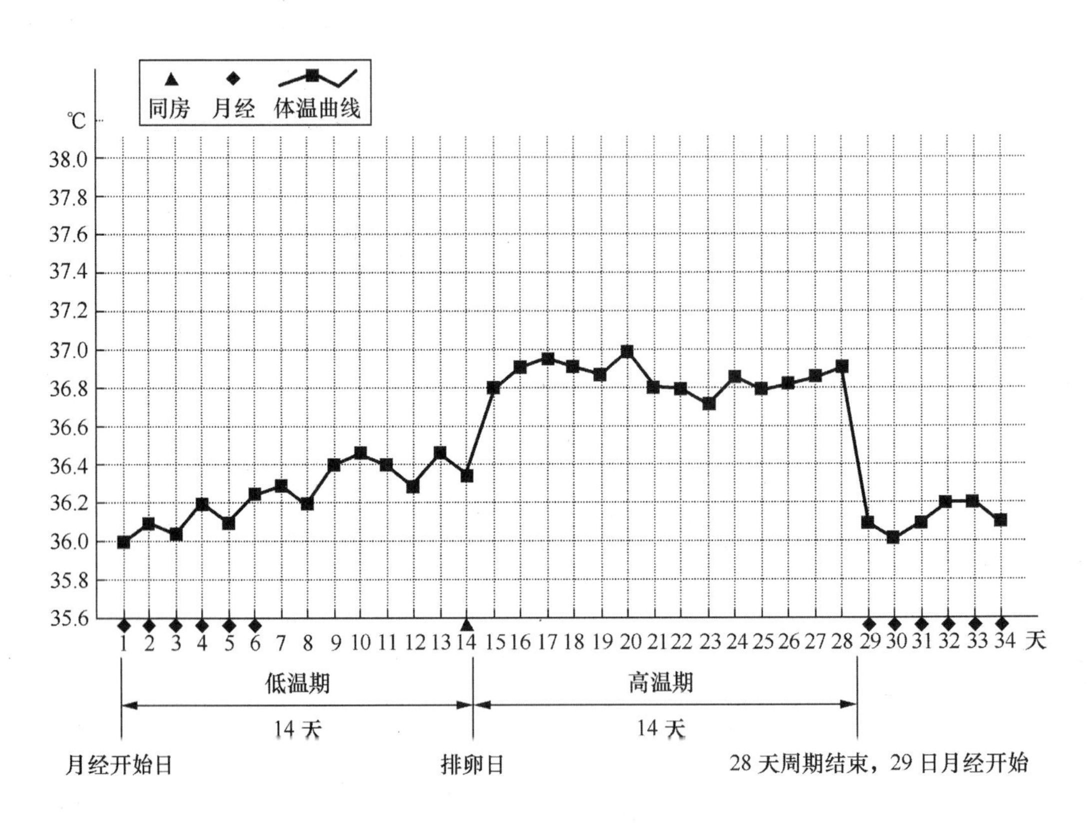

图B1 有正常排卵的曲线

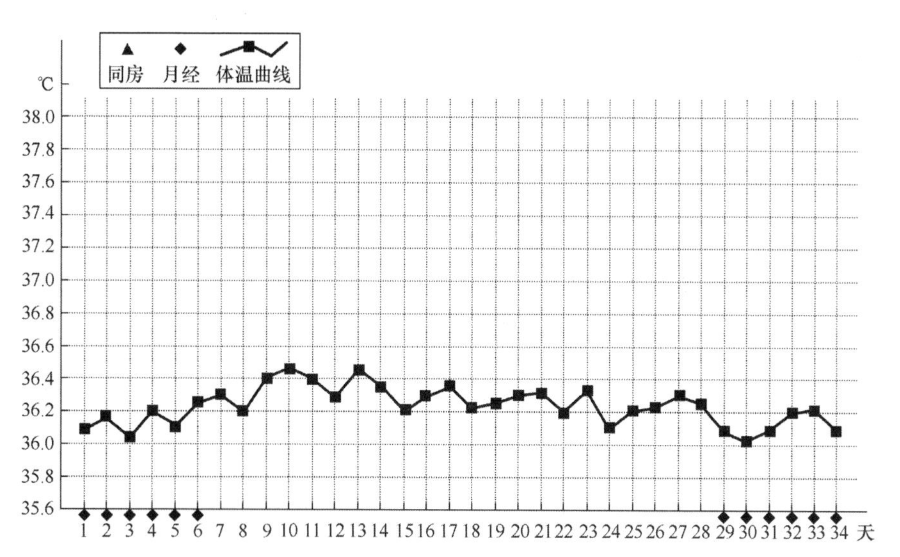

图B2 无排卵，持续低温的曲线

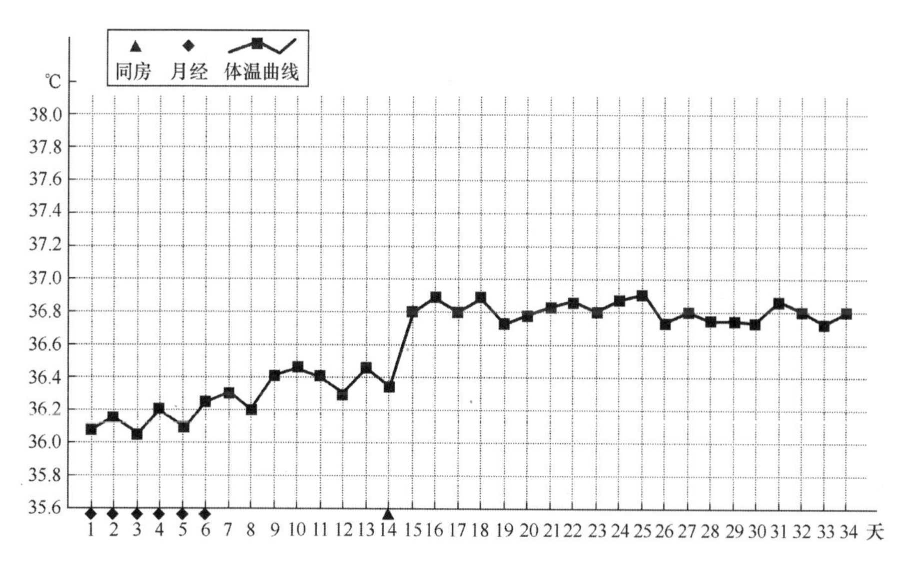

图B3 已经怀孕，持续高温的曲线

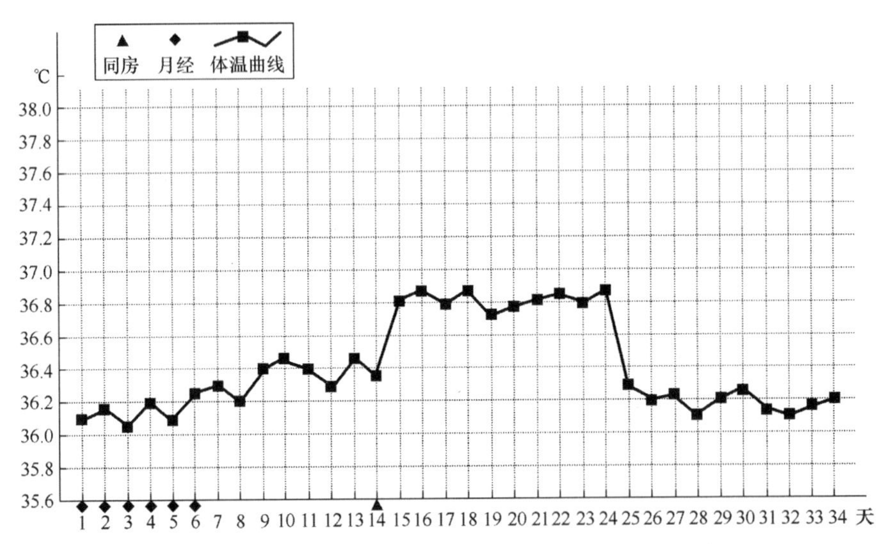

图B4 黄体不足，高温持续时间不足的曲线

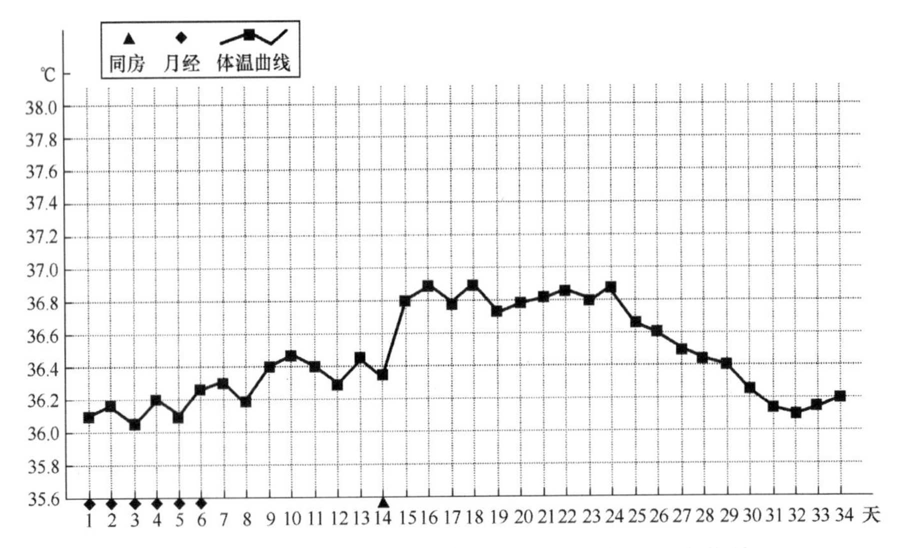

图B5 黄体功能不良，体温缓慢下降的曲线

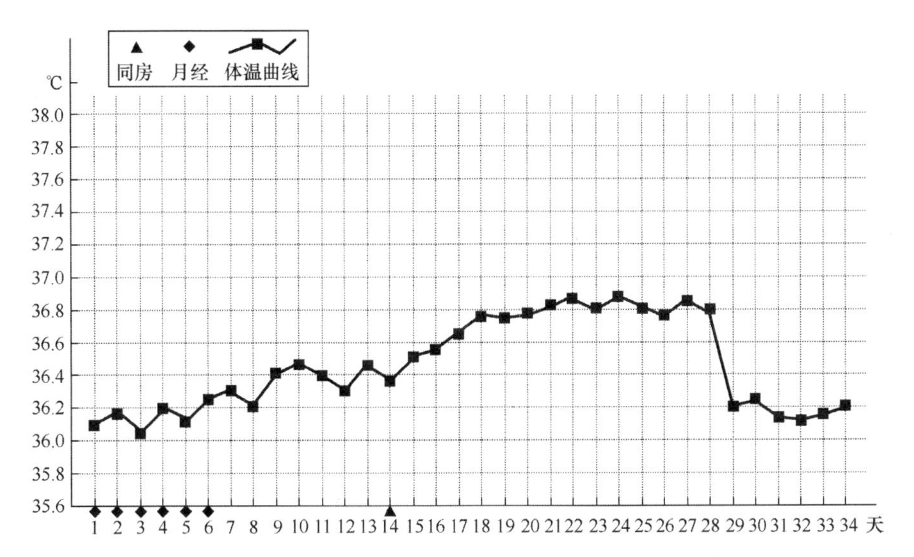

图B6 黄体生成素浓度不够，体温上升过慢的曲线

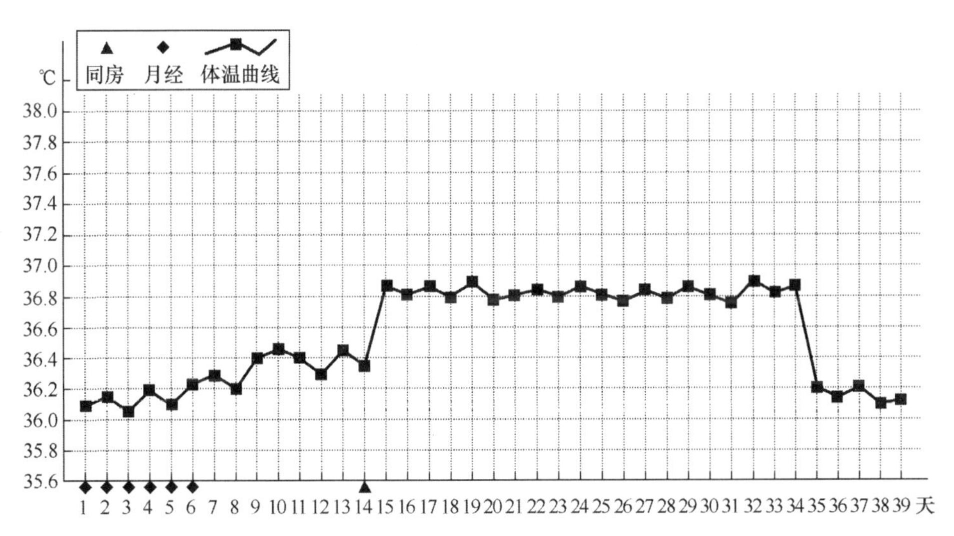

图B7 早期流产的曲线

附录

附录C 生男生女清宫表

祖先们热衷于生男生女的预测，流传下来的生男生女清宫表根据无数位19~41岁古代准妈妈的数据，总结出了怀孕年龄和受孕月份对生男生女几率的影响规律。之所以叫清宫表，是因为这个小表格在清朝宫廷最为流行。从统计学的角度看，此表有一定的参考价值，但由于古代和现代气候节气等差异，其准确率可能是越来越低。

所以，闲来无聊，大家可以根据此表猜测一下胎儿的性别，或者更早地简单计划一下受孕时间，权且当作一个游戏，不可较真。

◆《生男生女清宫表》的判断依据

（1）怀孕的农历月份：是指受孕时的农历月份。要特别注意是农历月份，如果有闰月等不知道如何计算的，可以使用播种网的农历月份计算工具来计算准确的月份。

（2）怀孕的虚岁年龄：是指在受孕那天的虚岁。要特别注意是虚岁，而且是“受孕日”这个特定时间的虚岁，不是现在的虚岁！如果不知道如何计算特定时间的虚岁，可以使用播种网的虚岁计算工具来计算准确的虚岁。

◆《生男生女清宫表》的使用说明

横向是怀孕的农历月份1～12月，纵向是虚岁18～45岁。

生男生女清宫表

怀孕的农历月份												
虚岁年龄	1月	2月	3月	4月	5月	6月	7月	8月	9月	10月	11月	12月
18	女	男	女	男	男	男	男	男	男	男	男	男
19	男	女	男	女	女	男	男	男	男	男	女	女
20	女	男	女	男	男	男	男	男	男	女	男	男
21	男	女	女	女	女	女	女	女	女	女	女	女
22	女	男	男	女	男	女	女	男	女	女	女	女
23	男	男	女	男	男	男	男	男	男	男	男	女
24	男	女	男	男	女	男	男	女	女	女	女	女
25	女	男	男	女	女	男	女	男	男	男	男	男
26	男	女	男	女	女	男	女	男	女	女	女	女
27	女	男	女	男	女	女	男	男	男	男	女	男
28	男	女	男	女	女	女	男	男	男	男	女	女
29	女	男	女	女	男	男	男	男	男	女	女	女
30	男	女	女	女	女	女	女	女	女	女	男	男
31	男	女	男	女	女	女	女	女	女	女	女	男
32	男	女	男	女	女	女	女	女	女	女	女	男
33	女	男	女	男	女	女	女	男	女	女	女	男
34	男	女	男	女	女	女	女	女	女	女	男	男
35	男	男	女	男	女	女	女	男	女	女	男	男
36	女	男	男	女	男	女	女	女	男	男	男	男
37	男	女	男	男	女	男	女	男	男	男	男	男
38	女	男	女	男	男	女	男	女	男	女	男	女
39	男	女	男	男	男	女	女	男	女	男	女	女
40	女	男	女	男	女	男	男	女	男	女	男	女
41	男	女	男	女	男	女	男	男	女	男	女	男
42	女	男	女	男	女	男	女	男	男	女	男	女
43	男	女	男	女	男	女	男	女	男	男	男	男
44	男	男	女	男	男	男	女	男	女	男	女	女
45	女	男	男	女	女	女	男	女	男	女	男	男

附录D 孩子血型推测表

父母血型	孩子可能的血型	孩子不可能的血型
O+O	O	A、B、AB
O+A	O、A	B、AB
O+B	O、B	A、AB
O+AB	A、B	O、AB
A+A	O、A	B、AB
B+B	O、B	A、AB
A+AB	A、B、AB	O
B+AB	A、B、AB	O
AB+AB	A、B、AB	O
A+B	O、A、B、AB	—

附录E 如何使用排卵试纸

◆ 排卵试纸的使用时间

1. 正常女性每个月都会排卵，卵子成熟后从卵巢排出，经由输卵管输送到子宫，怀孕就是成熟的卵子在输卵管中与精子结合的过程。精子在女性生殖道内可存活24~72小时，而卵子适宜受精的时间仅为排卵后24~36小时。在每个月经周期，尿液中的黄体生成素（LH）都会在排卵前24~48小时内出现高峰值，使用排卵试纸能较为准确地检测出LH的峰值水平，使女性预知受孕的最佳时间。

2. 在检测排卵前，女性应首先确定自己的月经周期，从这次月经第一天到下次来月经的前一天为一个周期（初血当天为第一天）。多数女性是在下次月经前14天左右排卵，排卵前2~3天及排卵后1~2天为易受孕期，即排卵日前后共4~5天为易受孕期。开始检测是否排卵后，应每天定时检测；当出现接近峰值的颜色时，应每隔12小时检测一次直至检测到LH峰值。由于每一位女性的月经周期天数不同，检测时可参考周期检测表。

3. 周期检测表（若月经周期天数少于21天或多于40天请询问专科医生意见）。

月经周期	开始检测日	月经周期	开始检测日
21天	第6天	31天	第14天
22天	第6天	32天	第15天
23天	第7天	33天	第16天
24天	第7天	34天	第17天
25天	第8天	35天	第18天
26天	第9天	36天	第19天
27天	第10天	37天	第20天
28天	第11天	38天	第21天
29天	第12天	39天	第22天
30天	第13天	40天	第23天

◆ 排卵试纸的使用方法

1. 用洁净、干燥的容器收集尿液，切记不可使用晨尿。
2. 收集尿液的最佳时间是早10点至晚8点。
3. 尽量采用每一天同一时刻的尿样。

4. 收集尿液前2小时内应减少水分摄入，因为稀释的尿液样本会妨碍黄体生成素（LH）高峰值的检测。

5. 持排卵试纸，将有箭头标志线的一端浸入尿液中，约三秒钟后取出平放，10~20分钟后观察结果，结果以30分钟内阅读为准。浸入液面不可超过MAX线。

6. 检测到两条杠一样深，或者第二条杠比第一条杠还深，就说明将在24~48小时内排卵。测到两条杠后，可以在当天同房，隔一天再同房。

7. 特别提示：最好是在月经干净后的第3天开始测，之后每天坚持检测。在排卵前3天（精子等卵子）至排卵后3天（卵子等精子）内同房，都有可能怀孕。

附录F 女性激素参考值范围

雌激素总量（E0）

测定时间	标本	旧制单位正常值	旧新系数	法定单位正常值	新旧系数
青春前期	尿	0~5 μg/24h	1	0~5 μg/24h	1
卵泡期	尿	4~25 μg/24h	1	4~25 μg/24h	1
排卵期	尿	28~100 μg/24h	1	28~100 μg/24h	1
黄体期	尿	22~80 μg/24h	1	22~80 μg/24h	1
妊娠期	尿	<45000 μg/24h	1	<45000 μg/24h	1
绝经期	尿	<10 μg/24h	1	<10 μg/24h	1

雌酮（E1）

测定时间	标本	旧制单位 正常值	旧新 系数	法定单位 正常值	新旧 系数
青春期	血	0~80pg/ml	3.7	0~296pmol/L	0.27
卵泡期	血	20~150pg/ml	3.7	74~555pmol/L	0.27
绝经期	血	31.4~36.2pg/ml	3.7	116~134pmol/L	0.27
妊娠晚期	血	0.5~0.9mg/dl	3.7	18.5~33.3 μ mol/L	0.27
排卵期	尿	11~31 μ g/24h	3.7	41~115nmol/24h	0.27
黄体期	尿	10~23 μ g/24h	3.7	37~85nmol/24h	0.27
绝经期	尿	1~7 μ g/24h	3.7	4~26nmol/24h	0.27

雌二醇（E2）

测定时间	标本	旧制单位 正常值	旧新 系数	法定单位 正常值	新旧 系数
卵泡期	血	10~90pg/ml	3.67	37~330pmol/L	0.272
排卵期	血	100~500pg/m1	3.67	367~1835pmol/L	0.272
黄体期	血	50~240pg/ml	3.67	184~881pmol/L	0.272
绝经期	血	10~30pg/ml	3.67	37~110pmol/L	0.272
妊娠晚期	血	0.2~1.7mg/dl	3.67	7.34~62.4umol/L	0.272
卵泡期	尿	0~3pg/24h	3.67	0~11nmol/24h	0.272
排卵期	尿	4~14pg/24h	3.67	15~51nmol/24h	0.272
黄体期	尿	4~10pg/24h	3.67	15~37nmol/24h	0.272
绝经期	尿	0~4pg/24h	3.67	0~15nmo1/24h	0.272

雌二醇（E3）

测定时间	标本	旧制单位正常值	旧新系数	法定单位正常值	新旧系数
孕26周	血	5.45±0.5ng/ml	3.47	19.2±1.7nmol/L	0.288
孕27~28周	血	5.99±1.36ng/ml	3.47	20.8±4.7nmol/L	0.288
孕29~30周	血	6. 14±1.1ng/ml	3.47	21.3±3.8nmo1/L	0.288
孕31~32周	血	6.37±1.66ng/ml	3.47	22.0±5.8nmo1/L	0.288
孕33~34周	血	7.59±1.44ng/ml	3.47	26.3±5.0nmol/L	0.288
孕35~36周	血	10.16±2.29ng/ml	3.47	35.2±7.9nmol/L	0.288
孕37~38周	血	12.05±2.29ng/ml	3.47	45.3±7.9nmol/L	0.288
孕39~40周	血	15.52±3.3ng/ml	3.47	53.8±11.4nmol/L	0.288
孕41~42周	血	16.25±3.17ng/ml	3.47	56.4±11.0nmol/L	0.288
孕43…周	血	13.61±3.93ng/ml	3.47	47.2±13.6nmol/L	0.288
孕28~29周	尿	8.9±2.6mg/24h	3.47	30.9±9.0μmol/24h	0.288
孕30~31周	尿	11.5±3.9mg/24h	3.47	39.9±13.5μmol/24h	0.288
孕32~33周	尿	15.1±5.3mg/24h	3.47	52.4±18.4μmol/24h	0.288
孕34~35周	尿	17.9±6.1mg/24h	3.47	62.1±21.2μmol/24h	0.288
孕36~37周	尿	22.0±5.2mg/24h	3.47	76.3±18.0μmol/24h	0.288
孕38~39周	尿	25.6±6.9mg/24h	3.47	88.8±23.9μmol/24h	0.288
孕40~41周	尿	25.9±6.9mg/24h	3.47	89.8±23.9μmol/24h	0.288
孕42~43周	尿	24.0±6.5mg/24h	3.47	83.2±22.5μmol/24h	0.288
孕44…周	尿	19.5±6.5mg/24h	3.47	67.6±22.5μmol/24h	0.288
足月妊娠	羊水游离	56.1ng/ml	3.47	194.6 nmol/L	0.288
足月妊娠	羊水结合	932 ng/ml	3.47	3232 nmol/L	0.288

孕酮（P）

测定时间	标本	旧制单位正常值	旧新系数	法定单位正常值	新旧系数
卵泡期	血	0.2~0.6ng/ml	3.18	0.6~1.9 nmol/L	0.3145
黄体期	血	6.5~32.2ng/ml	3.18	20.7~102.4 nmol/L	0.3145
绝经期	血	＜1.0ng/ml	3.18	＜3.20 nmol/L	0.3145
孕7周	血	24.5±7.6ng/ml	3.12	76.4±23.7 nmol/L	0.32
孕8周	血	28.6±7.9ng/ml	3.12	89.2±24.6 nmol/L	0.32
孕9~ 12周	血	38.0±13.0ng/ml	3.12	118.6±40.6 nmol/L	0.32
孕13~16周	血	45.5±14.0ng/ml	3.12	142.0±43.7 nmol/L	0.32
孕17~20周	血	63.3±14.0ng/ml	3.12	197.5±43.7 nmol/L	0.32
孕21~24周	血	110.9±35.7ng/ml	3.12	346.0±111.4 nmol/L	0.32
孕25~34周	血	165.3±35.7ng/ml	3.12	514.8±111.4 nmol/L	0.32
孕35周	血	202.0±47.0ng/ml	3.12	630.2±146.6 nmol/L	0.32
孕13~36周	羊水	55ng/ml	3.12	171. 6 nmol/L	0.32
足月妊娠	羊水	26ng/ml	3.12	81.1 nmol/L	0.32

孕二醇（P2）

测定时间	标本	旧制单位正常值	旧新系数	法定单位正常值	新旧系数
卵泡期	尿	＜1.0mg/24h	3.12	＜3 μmol/24h	0.32
黄体期	尿	2~7mg/24h	3.12	6~22 μmol/24h	0.32
绝经后	尿	0.2~1.0mg/24h	3.12	0.6~3.1 μmol/24h	0.32
孕16周	尿	5~21mg/24h	3.12	16~65 μmol/24h	0.32
孕24周	尿	12~32mg/24h	3.12	37~100 μmol/24h	0.32
孕32周	尿	22~66mg/24h	3.12	69~205 μmol/24h	0.32
孕36周	尿	13~77mg/24h	3.12	41~240 μmol/24h	0.32
孕40周	尿	23~63mg/24h	3.12	72~197 μmol/24h	0.32

孕三醇 （P3）

测定时间	标本	旧制单位正常值	旧新系数	法定单位正常值	新旧系数
成年女性	尿	0.5~2.0mg/24h	2.97	1.5~5.9 μmol/24h	0.3365

睾酮（T）

测定时间	标本	旧制单位正常值	旧新系数	法定单位正常值	新旧系数
成年女性	血	0.59±0.22ng/ml	3.47	2.1±0.8 nmol/L	0.288
卵泡期	血	＜0.4ng/ml	3.47	＜1.4 nmol/L	0.288
排卵期	血	＜0.6ng/ml	3.47	＜2.1 nmol/L	0.288
黄体期	血	＜0.5ng/ml	3.47	＜1.7 nmol/L	0.288
绝经期	血	＜0.35ng/ml	3.47	1.2 nmol/L	0.288
成年女性	尿	2~12μg/24h	3.47	7~42nmo1/24h	0.288
＞50岁女性	尿	2~8μg/24h	3.47	7~28 nmo1/24h	0.288

脱氢表雄酮（DHA）

测定时间	标本	旧制单位正常值	旧新系数	法定单位正常值	新旧系数
成年女性	血	2.0~5.2ng/ml	3.47	6.0~18.0nmo1/L	0.288
成年女性	尿	0~1.2mg/24h	3.47	0~4.2μmo1/24h	0.288

硫酸脱氢表雄酮（DHAS）

测定时间	标本	旧制单位正常值	旧新系数	法定单位正常值	新旧系数
成年女性	血	82~338μg/ml	0.026	2.1~8.8μmo1/L	38.24
绝经后	血	11~61μg/ml	0.026	0.3~1.6μmo1/L	38.24

卵泡刺激素（FSH）

测定时间	标本	旧制单位正常值	旧新系数	法定单位正常值	新旧系数
卵泡期	血	0.66~2.20ng/ml	1	0.66~2.20 μ g/L	1
排卵期	血	1.38~3.80ng/ml	1	1.38~3.80 μ g/L	1
黄体期	血	0.41~2.10ng/ml	1	0.41~2.10 μ g/L	1
月经期	血	0.50~2.50ng/ml	1	0.50~2.20 μ g/L	1
正常女性	血	5~20mU/ml	1	5~20 U/L	1
青春期前	血	＜5 mU/ml	1	＜5 U/L	1
绝经后	血	＞40 mU/ml	1	＞40U/L	1
卵泡期	尿	5~20U/24h	1	5~20U/24h	1
排卵期	尿	15~16 U/24h	1	15~16 U/24h	1
黄体期	尿	5~15 U/24h	1	5~15 U/24h	1
月经期	尿	50~100 U/24h	1	50~100 U/24h	1

黄体生成激素（LH）

测定时间	标本	旧制单位正常值	旧新系数	法定单位正常值	新旧系数
卵泡期	血	5~30 mU/ml	1	5~30U/L	1
排卵期	血	75~150 mU/ml	1	75~150 U/L	1
黄体期	血	3~30 mU/ml	1	3~30U/L	1
绝经期	血	30~130 mU/mL	1	30~130 U/L	1
卵泡期	尿	7.2~23.5 U/24h	1	7.2~23.5 U/24h	1

β绒毛膜促性腺激素 （β~HCG）

测定时间	标本	旧制单位正常值	旧新系数	法定单位正常值	新旧系数
定性	血/尿	阴性		阴性	
非孕时	血	＜3.1ng/ml	1	＜3.1 μg/L	1
孕7~10天	血	＞5.0 mU/ml	1	＞5.0U/L	1
孕30天	血	＞100 mU/ml	1	＞100 U/L	1
孕40天	血	＞2000 mU/ml	1	＞2000U/L	1
孕10周	血	50~100U/ml	1	50~100kU/L	1
孕14周	血	10~20U/ml	1	10~20 kU/L	1
滋养细胞疾病	血	＞100U/ml	1	＞100kU/L	1

附录

胎胎生乳素（HPL）

测定时间	标本	旧制单位正常值	旧新系数	法定单位正常值	新旧系数
非孕时	血	＜0.5μg/ml	1	＜0.5mg/L	1
孕22周	血	1.0~3.8μg/ml	1	1.0~3.8 mg/L	1
孕30周	血	2.8~5.8μg/ml	1	2.8~5.8 mg/L	1
孕42周	血	3.0~8.0μg/ml	1	3.0~8.0 mg/L	1

催乳激素（PRL）

测定时间	标本	旧制单位正常值	旧新系数	法定单位正常值	新旧系数
青春期前	血	8ng/ml	1	8μg/L	1
育龄期	血	9~14ng/ml	1	9~14μg/L	1
孕早期3月	血	＜80ng/ml	1	＜80μg/L	1
孕中期3月	血	＜160ng/ml	1	＜160μg/L	1
孕末期3月	血	＜400ng/ml	1	＜400μg/L	1
孕早期3月	羊水	血浓度的5~10倍	1		1

生长激素（GH）

测定时间	标本	旧制单位正常值	旧新系数	法定单位正常值	新旧系数
脐带	血	10~50ng/ml	1	10~50μg/L	1
新生儿	血	15~40ng/ml	1	15~40μg/L	1
儿童	血	＜20ng/ml	1	＜20μg/L	1
成年女性	血	＜10ng/ml	1	＜10μg/L	1

皮质醇（C）

测定时间	标本	旧制单位正常值	旧新系数	法定单位正常值	新旧系数
非孕时	血	9~24μg/dl	27.6	248~660nmol/L	0.036
非孕时	尿	18.47±5.44μg/24h	27.6	509±150nmol/24h	0.036
孕时	尿	46.89±34.02μg/24h	27.6	1293±938nmol/24h	0.036
孕10~15周	羊水	0.5μg/dl	27.6	13.8nmol/L	0.036
孕35~37周	羊水	1.0μg/dl	27.6	27.6nmol/L	0.036
临产时	羊水	2.0~3.0μg/dl	27.6	55.2~82.8nmol/L	0.036

17~羟类固醇 （17~OH）

测定时间	标本	旧制单位正常值	旧新系数	法定单位正常值	新旧系数
非孕时	血	9~21μg/dl	27.6	248~580nmol/L	0.0362
非孕时	尿	2~8mg/24h	2.76	5.5~22.1μmol/24h	0.3623

17~酮类固醇 （17~KS）

测定时间	标本	旧制单位正常值	旧新系数	法定单位正常值	新旧系数
非孕时	尿	6~15mg/24h	3.47	21~52nmol/L	0.288
孕时	尿	20%~100%			

促肾上腺皮质激素 （ACTH）

测定时间	标本	旧制单位正常值	旧新系数	法定单位正常值	新旧系数
上午8时	血	5~50pg/ml	0.22	1.1~11.0pmol/L	4.54

甲状腺素（T4）

测定时间	标本	旧制单位正常值	旧新系数	法定单位正常值	新旧系数
非孕时＞10岁	血	5~12μg/dl	12.9	65~155nmol/L	0.0777
孕5个月后	血	6.1~17.6μg/dl	12.9	79~227nmol/L	0.0777
＞60岁女性	血	5.5~10.5μg/dl	12.9	71~135nmol/L	0.0777

三碘甲状腺原氨（T3）

测定时间	标本	旧制单位正常值	旧新系数	法定单位正常值	新旧系数
非孕时＞15岁	血	115~190ng/dl	0.0154	1.8~2.9nmol/L	65.1
孕时	血	140~275ng/dl	0.0154	2.15~4.22nmol/L	65.1
＞60岁女性	血	108~205ng/dl	0.0154	1.7~3.2nmol/L	65.1

醛固酮（ALD）

测定时间	标本	旧制单位正常值	旧新系数	法定单位正常值	新旧系数
非孕时	血	0.015μg/dl	2.8	0.042nmol/L	0.357

附录

甲胎蛋白（AFP）

测定时间	标本	旧制单位正常值	旧新系数	法定单位正常值	新旧系数
非孕时	血	2~16ng/ml	1	2~16μg/L	1
孕20~21周	血	80.5±41.6ng/ml	1	80.5±41.6μg/L	1
孕22~23周	血	85.8±47.8ng/ml	1	85.8±47.8μg/L	1
孕24~25周	血	91.2±38.3ng/ml	1	91.2±38.3μg/L	1
孕26~27周	血	152.0±86.0ng/ml	1	152.0±86.0μg/L	1
孕28~29周	血	137.4±51.2ng/ml	1	137.4±51.2μg/L	1
孕30~31周	血	143.9±29.4ng/ml	1	143.9±29.4μg/L	1
孕32~33周	血	154.3±51.7ng/ml	1	154.3±51.7μg/L	1
孕34~35周	血	148.0±60.9ng/ml	1	148.0±60.9μg/L	1
孕36~37周	血	121.8±59.0ng/ml	1	121.8±59.0μg/L	1
孕38~39周	血	116.7±67.4ng/ml	1	116.4±67.4μg/L	1
孕40…周	血	104.6±66.4ng/ml	1	104.6±66.4μg/L	1